JOHANN JOACHIM WINCKELMANN

Gedanken über die Nachahmung der griechischen Werke in der Malerei und Bildhauerkunst

Sendschreiben

Erläuterung

HERAUSGEGEBEN VON
LUDWIG UHLIG

PHILIPP RECLAM JUN. STUTTGART

Universal-Bibliothek Nr. 8338 [2]
Alle Rechte vorbehalten
© 1969 Philipp Reclam jun. GmbH & Co., Stuttgart
Gesamtherstellung: Reclam, Ditzingen. Printed in Germany 1991
RECLAM und UNIVERSAL-BIBLIOTHEK sind eingetragene
Warenzeichen der Philipp Reclam jun. GmbH & Co., Stuttgart
ISBN 3-15-008338-9

Gedanken über
die Nachahmung der griechischen Werke
in der Malerei und Bildhauerkunst.

Der gute Geschmack, welcher sich mehr und mehr durch die Welt ausbreitet, hat sich angefangen zuerst unter dem griechischen Himmel zu bilden. Alle Erfindungen fremder Völker kamen gleichsam nur als der erste Same nach Griechenland, und nahmen eine andere Natur und Gestalt an in dem Lande, welches Minerva, sagt man, vor allen Ländern, wegen der gemäßigten Jahreszeiten, die sie hier angetroffen, den Griechen zur Wohnung angewiesen, als ein Land welches kluge Köpfe hervorbringen würde.

Der Geschmack, den diese Nation ihren Werken gegeben hat, ist ihr eigen geblieben; er hat sich selten weit von Griechenland entfernt, ohne etwas zu verlieren, und unter entlegenen Himmelstrichen ist er spät bekannt geworden. Er war ohne Zweifel ganz und gar fremde unter einem nordischen Himmel, zu der Zeit, da die beiden Künste, deren große Lehrer die Griechen sind, wenig Verehrer fanden; zu der Zeit, da die verehrungswürdigsten Stücke des Correggio im königlichen Stalle zu Stockholm vor die Fenster, zu Bedeckung derselben, gehänget waren[1].

Und man muß gestehen, daß die Regierung des großen Augusts der eigentliche glückliche Zeitpunkt ist, in welchem die Künste, als eine fremde Kolonie, in Sachsen eingeführet worden. Unter seinem Nachfolger, dem deutschen Titus, sind dieselben diesem Lande eigen worden, und durch sie wird der gute Geschmack allgemein[2].

Es ist ein ewiges Denkmal der Größe dieses Monarchen, daß zu Bildung des guten Geschmacks die größten Schätze aus Italien, und was sonst Vollkommenes in der Malerei in andern Ländern hervorgebracht worden vor den Augen aller Welt aufgestellet sind. Sein Eifer, die Künste zu verewigen, hat endlich nicht geruhet, bis wahrhafte untrügliche Werke griechischer Meister, und zwar vom ersten Range, den Künstlern zur Nachahmung sind gegeben worden.

Die reinsten Quellen der Kunst sind geöffnet: glücklich ist, wer sie findet und schmecket. Diese Quellen suchen, heißt nach Athen reisen; und Dresden wird nunmehro Athen für Künstler.

Der einzige Weg für uns, groß, ja, wenn es möglich ist, unnachahmlich zu werden, ist die Nachahmung der Alten, und was jemand vom Homer gesagt, daß derjenige ihn bewundern lernet, der ihn wohl verstehen gelernet, gilt auch von den Kunstwerken der Alten, sonderlich der Griechen. Man muß mit ihnen, wie mit seinem Freunde, bekannt geworden sein, um den Laokoon[3] ebenso unnachahmlich als den Homer zu finden. In solcher genauen Bekanntschaft wird man wie Nikomachos von der Helena des Zeuxis urteilen: »Nimm meine Augen«, sagte er zu einen Unwissenden, der das Bild tadeln wollte, »so wird sie dir eine Göttin scheinen.«

Mit diesem Auge haben Michelangelo, Raffael und Poussin die Werke der Alten angesehen. Sie haben den guten Geschmack aus seiner Quelle geschöpfet, und Raffael in dem Lande selbst, wo er sich gebildet. Man weiß, daß er junge Leute nach Griechenland geschicket, die Überbleibsel des Altertums für ihn zu zeichnen.

Eine Bildsäule von einer alten römischen Hand wird sich gegen ein griechisches Urbild allemal verhalten, wie Vergils Dido in ihrem Gefolge mit der Diana unter ihren Oreaden verglichen[4], sich gegen Homers Nausikaa verhält, welche jener nachzuahmen gesuchet hat.

Laokoon war den Künstlern im alten Rom ebendas, was er uns ist; des Polyklets Regel; eine vollkommene Regel der Kunst[5].

Ich habe nicht nötig anzuführen, daß sich in den berühmtesten Werken der griechischen Künstler gewisse Nachlässigkeiten finden: der Delphin, welcher der Mediceischen Venus zugegeben ist, nebst den spielenden Kindern; die Arbeit des

Dioskurides außer der Hauptfigur in seinem geschnittenen Diomedes mit dem Palladio, sind Beispiele davon. Man weiß, daß die Arbeit der Rückseite auf den schönsten Münzen der ägyptischen und syrischen Könige den Köpfen dieser Könige selten beikommt. Große Künstler sind auch in ihren Nachlässigkeiten weise, sie können nicht fehlen, ohne zugleich zu unterrichten. Man betrachte ihre Werke, wie Lukian den Jupiter des Phidias will betrachtet haben; den Jupiter selbst, nicht den Schemel seiner Füße.

Die Kenner und Nachahmer der griechischen Werke finden in ihren Meisterstücken nicht allein die schönste Natur, sondern noch mehr als Natur, das ist, gewisse idealische Schönheiten derselben, die, wie uns ein alter Ausleger des Plato lehret, von Bildern bloß im Verstande entworfen, gemacht sind.

Der schönste Körper unter uns wäre vielleicht dem schönsten griechischen Körper nicht ähnlicher, als Iphikles dem Herkules[6], seinem Bruder, war. Der Einfluß eines sanften und reinen Himmels würkte bei der ersten Bildung der Griechen, die frühzeitigen Leibesübungen aber gaben dieser Bildung die edle Form. Man nehme einen jungen Spartaner, den ein Held mit einer Heldin gezeuget, der in der Kindheit niemals in Windeln eingeschränkt gewesen, der von dem siebenden Jahre an auf der Erde geschlafen, und im Ringen und Schwimmen von Kindesbeinen an war geübet worden. Man stelle ihn neben einen jungen Sybariten[7] unserer Zeit, und alsdenn urteile man, welchen von beiden der Künstler zu einem Urbilde eines jungen Theseus, eines Achilles, ja selbst eines Bacchus, nehmen würde. Nach diesem gebildet, würde es ein Theseus bei Rosen, und nach jenem gebildet, ein Theseus bei Fleisch erzogen, werden, wie ein griechischer Maler von zwo verschiedenen Vorstellungen dieses Helden urteilete.

Zu den Leibesübungen waren die großen Spiele allen jungen Griechen ein kräftiger Sporn, und die Gesetze verlangeten eine zehenmonatliche Vorbereitung zu den Olympischen

Spielen, und dieses in Elis, an dem Orte selbst, wo sie gehalten wurden. Die größten Preise erhielten nicht allezeit Männer, sondern mehrenteils junge Leute, wie Pindars Oden zeigen[8]. Dem göttlichen Diagoras gleich zu werden, war der höchste Wunsch der Jugend.

Sehet den schnellen Indianer an, der einem Hirsche zu Fuße nachsetzet: wie flüchtig werden seine Säfte, wie biegsam und schnell werden seine Nerven und Muskeln, und wie leicht wird der ganze Bau des Körpers gemacht. So bildet uns Homer seine Helden, und seinen Achilles bezeichnet er vorzüglich durch die Geschwindigkeit seiner Füße.

Die Körper erhielten durch diese Übungen den großen und männlichen Kontur, welchen die griechischen Meister ihren Bildsäulen gegeben, ohne Dunst und überflüssigen Ansatz. Die jungen Spartaner mußten sich alle zehen Tage vor den Ephoren nackend zeigen, die denjenigen, welche anfingen fett zu werden, eine strengere Diät auflegten. Ja es war eins unter den Gesetzen des Pythagoras, sich vor allen überflüssigen Ansatz des Körpers zu hüten. Es geschahe vielleicht aus ebendem Grunde, daß jungen Leuten unter den Griechen der ältesten Zeiten, die sich zu einem Wettkampf im Ringen angaben, während der Zeit der Vorübungen nur Milchspeise zugelassen war.

Aller Übelstand des Körpers wurde behutsam vermieden, und da Alkibiades in seiner Jugend die Flöte nicht wollte blasen lernen, weil sie das Gesicht verstellte, so folgeten die jungen Athenienser seinem Beispiele.

Nach dem war der ganze Anzug der Griechen so beschaffen, daß er der bildenden Natur nicht den geringsten Zwang antat. Der Wachstum der schönen Form litte nichts durch die verschiedenen Arten und Teile unserer heutigen pressenden und klemmenden Kleidung, sonderlich am Halse, an Hüften und Schenkeln. Das schöne Geschlecht selbst unter den Griechen wußte von keinem ängstlichen Zwange in ihrem Putze: Die jungen Spartanerinnen waren so leicht und kurz bekleidet, daß man sie daher Hüftzeigerinnen nannte.

Es ist auch bekannt, wie sorgfältig die Griechen waren, schöne Kinder zu zeugen. Quillet in seiner Callipädie zeiget nicht so viel Wege dazu, als unter ihnen üblich waren[9]. Sie gingen sogar so weit, daß sie aus blauen Augen schwarze zu machen suchten. Auch zu Beförderung dieser Absicht errichtete man Wettspiele der Schönheit. Sie wurden in Elis gehalten: der Preis bestand in Waffen, die in den Tempel der Minerva aufgehänget wurden. An gründlichen und gelehrten Richtern konnte es in diesen Spielen nicht fehlen, da die Griechen, wie Aristoteles berichtet, ihre Kinder im Zeichnen unterrichten ließen, vornehmlich weil sie glaubten, daß es geschickter mache, die Schönheit in den Körpern zu betrachten und zu beurteilen.

Das schöne Geblüt der Einwohner der mehresten griechischen Inseln, welches gleichwohl mit so verschiedenen fremden Geblüte vermischet ist, und die vorzüglichen Reizungen des schönen Geschlechts daselbst, sonderlich auf der Insel Skios, geben zugleich eine gegründete Mutmaßung von den Schönheiten beiderlei Geschlechts unter ihren Vorfahren, die sich rühmeten, ursprünglich, ja älter als der Mond zu sein.

Es sind ja noch itzo ganze Völker, bei welchen die Schönheit sogar kein Vorzug ist, weil alles schön ist. Die Reisebeschreiber sagen dieses einhellig von den Georgiern, und ebendieses berichtet man von den Kabardinski, einer Nation in der krimischen Tatarei.

Die Krankheiten, welche so viel Schönheiten zerstören, und die edelsten Bildungen verderben, waren den Griechen noch unbekannt. Es findet sich in den Schriften der griechischen Ärzte keine Spur von Blattern, und in keines Griechen angezeigter Bildung, welche man beim Homer oft nach den geringsten Zügen entworfen siehet, ist ein so unterschiedenes Kennzeichen, dergleichen Blattergruben sind, angebracht worden.

Die venerischen Übel, und die Tochter derselben, die englische Krankheit, wüteten auch noch nicht wider die schöne Natur der Griechen.

Überhaupt war alles, was von der Geburt bis zur Fülle des Wachstums zur Bildung der Körper, zur Bewahrung, zur Ausarbeitung und zur Zierde dieser Bildung durch Natur und Kunst eingeflößet und gelehret worden, zum Vorteil der schönen Natur der alten Griechen gewürkt und angewendet, und kann die vorzügliche Schönheit ihrer Körper vor den unsrigen mit der größten Wahrscheinlichkeit zu behaupten Anlaß geben.

Die vollkommensten Geschöpfe der Natur aber würden in einem Lande, wo die Natur in vielen ihrer Wirkungen durch strenge Gesetze gehemmet war, wie in Ägypten, dem vorgegebenen Vaterlande der Künste und Wissenschaften, den Künstlern nur zum Teil und unvollkommen bekanntgeworden sein. In Griechenland aber, wo man sich der Lust und Freude von Jugend auf weihete, wo ein gewisser heutiger bürgerlicher Wohlstand der Freiheit der Sitten niemals Eintrag getan, da zeigte sich die schöne Natur unverhüllet zum großen Unterrichte der Künstler.

Die Schule der Künstler war in den Gymnasien, wo die jungen Leute, welche die öffentliche Schamhaftigkeit bedeckte, ganz nackend ihre Leibesübungen trieben. Der Weise, der Künstler gingen dahin: Sokrates den Charmides, den Autolykos, den Lysis zu lehren; ein Phidias, aus diesen schönen Geschöpfen seine Kunst zu bereichern. Man lernete daselbst Bewegungen der Muskeln, Wendungen des Körpers: man studierte die Umrisse der Körper, oder den Kontur an dem Abdrucke, den die jungen Ringer im Sande gemacht hatten.

Das schönste Nackende der Körper zeigte sich hier in so mannigfaltigen, wahrhaften und edlen Ständen und Stellungen, in die ein gedungenes Modell, welches in unseren Akademien aufgestellet wird, nicht zu setzen ist.

Die innere Empfindung bildet den Charakter der Wahrheit, und der Zeichner, welcher seinen Akademien denselben geben will, wird nicht einen Schatten des Wahren erhalten, ohne eigene Ersetzung desjenigen, was eine ungerührte und gleichgültige Seele des Modells nicht empfindet, noch durch eine Aktion, die einer gewissen Empfindung oder Leidenschaft eigen ist, ausdrücken kann.

Der Eingang zu vielen Gesprächen des Plato, die er in den Gymnasien zu Athen ihren Anfang nehmen lassen, machet uns ein Bild von den edlen Seelen der Jugend, und lässet uns auch hieraus auf gleichförmige Handlungen und Stellungen an diesen Orten und in ihren Leibesübungen schließen.

Die schönsten jungen Leute tanzten unbekleidet auf dem Theater, und Sophokles, der große Sophokles, war der erste, der in seiner Jugend dieses Schauspiel seinen Bürgern machte[10]. Phryne badete sich in den Eleusinischen Spielen vor den Augen aller Griechen, und wurde beim Heraussteigen aus dem Wasser den Künstlern das Urbild einer Venus Anadyomene; und man weiß, daß die jungen Mädchen in Sparta an einem gewissen Feste ganz nackend vor den Augen der jungen Leute tanzten. Was hier fremde scheinen könnte, wird erträglicher werden, wenn man bedenket, daß auch die Christen der ersten Kirche ohne die geringste Verhüllung, sowohl Männer als Weiber, zu gleicher Zeit und in einem und ebendemselben Taufsteine getauft, oder untergetaucht worden sind.

Also war auch ein jedes Fest bei den Griechen eine Gelegenheit für Künstler, sich mit der schönen Natur aufs genaueste bekanntzumachen.

Die Menschlichkeit der Griechen hatte in ihrer blühenden Freiheit keine blutigen Schauspiele einführen wollen, oder wenn dergleichen in dem Ionischen Asien, wie einige glauben, üblich gewesen, so waren sie seit geraumer Zeit wiederum eingestellet. Antiochos Epiphanes, König in Syrien, verschrieb Fechter von Rom, und ließ den Griechen Schauspiele dieser unglücklichen Menschen sehen, die ihnen anfänglich ein Abscheu waren: mit der Zeit verlor sich das menschliche Gefühl, und auch diese Schauspiele wurden Schulen der Künstler. Ein Kresilas studierte hier seinen sterbenden Fechter, »an welchem man sehen konnte, wieviel von seiner Seele noch in ihm übrig war.«

Diese häufigen Gelegenheiten zur Beobachtung der Natur veranlasseten die griechischen Künstler noch weiter zu gehen: sie fingen an, sich gewisse allgemeine Begriffe von Schönheiten sowohl einzelner Teile als ganze Verhältnisse der Körper zu bilden, die sich über die Natur selbst erheben sollten; ihr Urbild war eine bloß im Verstande entworfene geistige Natur.

So bildete Raffael seine Galatea. Man sehe seinen Brief an den Grafen Baldassare Castiglione: »Da die Schönheiten«, schreibt er, »unter dem Frauenzimmer so selten sind, so bediene ich mich einer gewissen Idee in meiner Einbildung.«

Nach solchen über die gewöhnliche Form der Materie erhabenen Begriffen bildeten die Griechen Götter und Menschen. An Göttern und Göttinnen machte Stirn und Nase beinahe eine gerade Linie. Die Köpfe berühmter Frauen auf griechischen Münzen haben dergleichen Profil, wo es gleichwohl nicht willkürlich war, nach idealischen Begriffen zu arbeiten. Oder man könnte mutmaßen, daß diese Bildung den alten Griechen ebenso eigen gewesen, als es bei den Kalmücken die flachen Nasen, bei den Chinesen die kleinen Augen sind. Die großen Augen der griechischen Köpfe auf Steinen und Münzen könnten diese Mutmaßung unterstützen.

Die römischen Kaiserinnen wurden von den Griechen auf ihren Münzen nach eben diesen Ideen gebildet: der Kopf einer Livia und einer Agrippina hat ebendasselbe Profil, welches der Kopf einer Artemisia und einer Kleopatra hat.

Bei allen diesen bemerket man, daß das von den Thebanern ihren Künstlern vorgeschriebene Gesetz; »die Natur bei Strafe aufs beste nachzuahmen« auch von andern Künstlern in Griechenland als ein Gesetz beobachtet worden. Wo das sanfte griechische Profil ohne Nachteil der Ähnlichkeit nicht anzubringen war, folgeten sie der Wahrheit der Natur, wie an den schönen Kopf der Julia, Kaisers Titus Tochter, von der Hand des Euodos zu sehen ist.

Das Gesetz aber, »die Personen ähnlich und zu gleicher Zeit schöner zu machen«, war allezeit das höchste Gesetz, welches die griechischen Künstler über sich erkannten, und setzet notwendig eine Absicht des Meisters auf eine schönere und vollkommenere Natur voraus. Polygnotos hat dasselbe beständig beobachtet.

Wenn also von einigen Künstlern berichtet wird, daß sie wie Praxiteles verfahren, welcher seine Knidische Venus nach seiner Beischläferin Kratina gebildet, oder wie andere Maler, welche die Lais zum Modell der Grazien genommen, so glaube ich, sei es geschehen, ohne Abweichung von gemeldeten allgemeinen großen Gesetzen der Kunst. Die sinnliche Schönheit gab dem Künstler die schöne Natur; die idealische Schönheit die erhabenen Züge: von jener nahm er das Menschliche, von dieser das Göttliche.

Hat jemand Erleuchtung genug, in das Innerste der Kunst hineinzuschauen, so wird er durch Vergleichung des ganzen übrigen Baues der griechischen Figuren mit den mehresten neuen, sonderlich in welchen man mehr der Natur, als dem alten Geschmacke gefolget ist, vielmals noch wenig entdeckte Schönheiten finden.

In den meisten Figuren neuerer Meister siehet man an den Teilen des Körpers, welche gedruckt sind, kleine gar zu sehr bezeichnete Falten der Haut; dahingegen, wo sich ebendieselben Falten in gleichgedruckten Teilen griechischer Figuren legen, ein sanfter Schwung eine aus der andern wellenförmig erhebt, dergestalt, daß diese Falten nur ein Ganzes, und zusammen nur einen edlen Druck zu machen scheinen. Diese Meisterstücke zeigen uns eine Haut, die nicht angespannt, sondern sanft gezogen ist über ein gesundes Fleisch, welches dieselbe ohne schwülstige Ausdehnung füllet, und bei allen Beugungen der fleischigten Teile der Richtung derselben vereinigt folget. Die Haut wirft niemals, wie an unsern Körpern, besondere und von dem Fleisch getrennete kleine Falten.

Ebenso unterscheiden sich die neuern Werke von den griechischen durch eine Menge kleiner Eindrücke, und durch gar zu viele und gar zu sinnlich gemachte Grübchen, welche, wo sie sich in den Werken der Alten befinden, mit einer sparsamen Weisheit, nach der Maße derselben in der vollkommenern und völligern Natur unter den Griechen, sanft angedeutet, und öfters nur durch ein gelehrtes Gefühl bemerket werden.

Es bietet sich hier allezeit die Wahrscheinlichkeit von selbst dar, daß in der Bildung der schönen griechischen Körper, wie in den Werken ihrer Meister, mehr Einheit des ganzen Baues, eine edlere Verbindung der Teile, ein reicheres Maß der Fülle gewesen, ohne magere Spannungen und ohne viel eingefallene Höhlungen unserer Körper.

Man kann weiter nicht, als bis zur Wahrscheinlichkeit gehen. Es verdienet aber diese Wahrscheinlichkeit die Aufmerksamkeit unserer Künstler und Kenner der Kunst; und dieses um so viel mehr, da es notwendig ist, die Verehrung der Denkmale der Griechen von dem ihr von vielen beigemessenen Vorurteile zu befreien, um nicht zu scheinen, der Nachahmung derselben bloß durch den Moder der Zeit ein Verdienst beizulegen.

Dieser Punkt, über welchen die Stimmen der Künstler geteilet sind, erfoderte eine ausführlichere Abhandlung, als in gegenwärtiger Absicht geschehen können.

Man weiß, daß der große Bernini einer von denen gewesen, die den Griechen den Vorzug einer teils schönern Natur, teils idealischen Schönheit ihrer Figuren hat streitig machen wollen. Er war außerdem der Meinung, daß die Natur allen ihren Teilen das erforderliche Schöne zu geben wisse: die Kunst bestehe darin; es zu finden. Er hat sich gerühmet, ein Vorurteil abgeleget zu haben, worin er in Ansehung des Reizes der Mediceischen Venus anfänglich gewesen, den er jedoch nach einem mühsamen Studio bei verschiedenen Gelegenheiten in der Natur wahrgenommen.

Also ist es die Venus gewesen, welche ihn Schönheiten in

der Natur entdecken gelehret, die er vorher allein in jener zu finden geglaubet hat, und die er ohne der Venus nicht würde in der Natur gesuchet haben. Folget nicht daraus, daß die Schönheit der griechischen Statuen eher zu entdecken ist, als die Schönheit in der Natur, und daß also jene rührender, nicht so sehr zerstreuet, sondern mehr in eins vereiniget, als es diese ist? Das Studium der Natur muß also wenigstens ein längerer und mühsamerer Weg zur Kenntnis des vollkommenen Schönen sein, als es das Studium der Antiken ist: und Bernini hätte jungen Künstlern, die er allezeit auf das Schönste in der Natur vorzüglich wies, nicht den kürzesten Weg dazu gezeiget.

Die Nachahmung des Schönen der Natur ist entweder auf einen einzelnen Vorwurf gerichtet, oder sie sammlet die Bemerkungen aus verschiedenen einzelnen, und bringet sie in eins. Jenes heißt eine ähnliche Kopie, ein Porträt machen; es ist der Weg zu holländischen Formen und Figuren. Dieses aber ist der Weg zum allgemeinen Schönen und zu idealischen Bildern desselben; und derselbe ist es, den die Griechen genommen haben. Der Unterschied aber zwischen ihnen und uns ist dieser: Die Griechen erlangten diese Bilder, wären auch dieselben nicht von schönern Körpern genommen gewesen, durch eine tägliche Gelegenheit zur Beobachtung des Schönen der Natur, die sich uns hingegen nicht alle Tage zeiget, und selten so, wie sie der Künstler wünschet.

Unsere Natur wird nicht leicht einen so vollkommenen Körper zeugen, dergleichen der Antinous Admirandus[11] hat, und die Idee wird sich über die mehr als menschlichen Verhältnisse einer schönen Gottheit in dem Vatikanischen Apollo[12], nichts bilden können: was Natur, Geist und Kunst hervorzubringen vermögend gewesen, lieget hier vor Augen.

Ich glaube, ihre Nachahmung könne lehren, geschwinder klug zu werden, weil sie hier in dem einen den Inbegriff desjenigen findet, was in der ganzen Natur ausgeteilet ist, und in dem andern, wie weit die schönste Natur sich über sich selbst kühn, aber weislich erheben kann. Sie wird lehren, mit Sicherheit zu denken und zu entwerfen, indem sie hier die höchsten Grenzen des menschlich und zugleich des göttlich Schönen bestimmt siehet.

Wenn der Künstler auf diesen Grund bauet, und sich die griechische Regel der Schönheit Hand und Sinne führen lässet, so ist er auf dem Wege, der ihn sicher zur Nachahmung der Natur führen wird. Die Begriffe des Ganzen, des Vollkommenen in der Natur des Altertums werden die Begriffe des Geteilten in unserer Natur bei ihm läutern und sinnlicher machen: er wird bei Entdeckung der Schönheiten derselben diese mit dem vollkommenen Schönen zu verbinden wissen, und durch Hülfe der ihm beständig gegenwärtigen erhabenen Formen wird er sich selbst eine Regel werden.

Alsdenn und nicht eher kann er, sonderlich der Maler, sich der Nachahmung der Natur überlassen in solchen Fällen, wo ihm die Kunst verstattet von dem Marmor abzugehen, wie in Gewändern, und sich mehr Freiheit zu geben, wie Poussin getan; denn »derjenige, welcher beständig andern nachgehet, wird niemals voraus kommen, und welcher aus sich selbst nichts Gutes zu machen weiß, wird sich auch der Sachen von anderen nicht gut bedienen«, wie Michelangelo sagt.

Seelen, denen die Natur hold gewesen,

quibus arte benigna
Et meliore luto finxit praecordia Titan[13],

haben hier den Weg vor sich offen, Originale zu werden.

In diesem Verstande ist es zu nehmen, wenn des Piles berichten will, daß Raffael zu der Zeit, da ihn der Tod übereilet, sich bestrebet habe, den Marmor zu verlassen, und der Natur gänzlich nachzugehen. Der wahre Geschmack des Altertums würde ihn auch durch die gemeine Natur hindurch beständig begleitet haben, und alle Bemerkungen in derselben würden bei ihm durch eine Art einer chymischen Verwandlung dasjenige geworden sein, was sein Wesen, seine Seele ausmachte.

Er würde vielleicht mehr Mannigfaltigkeit, größere Gewänder, mehr Kolorit, mehr Licht und Schatten seinen Gemälden gegeben haben: aber seine Figuren würden dennoch allezeit weniger schätzbar hierdurch, als durch den edlen Kontur, und durch die erhabene Seele, die er aus den Griechen hatte bilden lernen, gewesen sein.

Nichts würde den Vorzug der Nachahmung der Alten vor der Nachahmung der Natur deutlicher zeigen können, als wenn man zwei junge Leute nähme von gleich schönem Talente, und den einen das Altertum, den andern die bloße Natur studieren ließe. Dieser würde die Natur bilden, wie er sie findet: als ein Italiener würde er Figuren malen vielleicht wie Caravaggio; als ein Niederländer, wenn er glücklich ist, wie Jacob Jordaens: als ein Franzos, wie Stella: jener aber würde die Natur bilden, wie sie es verlanget, und Figuren malen, wie Raffael.

Könnte auch die Nachahmung der Natur dem Künstler alles geben, so würde gewiß die Richtigkeit im Kontur durch sie nicht zu erhalten sein; diese muß von den Griechen allein erlernet werden.

Der edelste Kontur vereiniget oder umschreibet alle Teile der schönsten Natur und der idealischen Schönheiten in den Figuren der Griechen; oder er ist vielmehr der höchste Begriff in beiden. Euphranor, der nach des Zeuxis Zeiten sich hervortat, wird vor den ersten gehalten, der demselben die erhabenere Manier gegeben.

Viele unter den neueren Künstlern haben den griechischen Kontur nachzuahmen gesuchet, und fast niemanden ist es gelungen. Der große Rubens ist weit entfernt von dem griechischen Umrisse der Körper, und in denenjenigen unter seinen Werken, die er vor seiner Reise nach Italien, und vor dem Studio der Antiken gemachet hat, am weitesten.

Die Linie, welche das Völlige der Natur von dem Überflüssigen derselben scheidet, ist sehr klein, und die größten neueren Meister sind über diese nicht allezeit greifliche Grenze auf beiden Seiten zu sehr abgewichen. Derjenige, welcher einen ausgehungerten Kontur vermeiden wollen, ist in die Schwulst verfallen; der diese vermeiden wollen, in das Magere.

Michelangelo ist vielleicht der einzige, von dem man sagen könnte, daß er das Altertum erreichet; aber nur in starken muskulösen Figuren, in Körpern aus der Heldenzeit; nicht in zärtlich jugendlichen, nicht in weiblichen Figuren, welche unter seiner Hand zu Amazonen geworden sind.

Der griechische Künstler hingegen hat seinen Kontur in allen Figuren wie auf die Spitze eines Haars gesetzt, auch in den feinsten und mühsamsten Arbeiten, dergleichen auf geschnittenen Steinen ist. Man betrachte den Diomedes und den Perseus des Dioskurides; den Herkules mit der Iole von der Hand des Teukers, und bewundere die hier unnachahmlichen Griechen.

Parrhasios wird insgemein vor den Stärksten im Kontur gehalten.

Auch unter den Gewändern der griechischen Figuren herrschet der meisterhafte Kontur, als die Hauptabsicht des Künstlers, der auch durch den Marmor hindurch den schönen Bau seines Körpers wie durch ein koisches Kleid[14] zeiget.

Die im hohen Stile gearbeitete Agrippina, und die drei Vestalen unter den Königlichen Antiken in Dresden, verdienen hier als große Muster angeführt zu werden. Agrippina ist vermutlich nicht die Mutter des Nero, sondern die ältere Agrippina, eine Gemahlin des Germanicus. Sie hat sehr viel Ähnlichkeit mit einer vorgegebenen stehenden Statue ebendieser Agrippina in dem Vorsaale der Bibliothek zu San Marco in Venedig. Unsere ist eine sitzende Figur, größer als die Natur, mit gestütztem Haupte auf die rechte Hand. Ihr schönes Gesicht zeiget eine Seele, die in tiefen Betrachtungen versenkt, und vor Sorgen und Kummer gegen alle äußere Empfindungen fühllos scheinet. Man könnte mutmaßen, der Künstler habe die Heldin in dem betrübten Augenblick vorstellen wollen, da ihr die Verweisung nach der Insel Pandateria war angekündiget worden.

Die drei Vestalen[15] sind unter einem doppelten Titel verehrungswürdig. Sie sind die ersten großen Entdeckungen von Herkulaneum: allein was sie noch schätzbarer macht, ist die große Manier in ihren Gewändern. In diesem Teile der Kunst sind sie alle drei, sonderlich aber diejenige, welche größer ist als die Natur, der Farnesischen Flora und anderen griechischen Werken vom ersten Range beizusetzen. Die zwo andern, groß wie die Natur, sind einander so ähnlich, daß sie von einer und ebenderselben Hand zu sein scheinen; sie unterscheiden sich allein durch die Köpfe, welche nicht von gleicher Güte sind. An dem besten Kopfe liegen die gekräuselten Haare nach Art der Furchen geteilt, von der Stirne an bis da wo sie hinten zusammengebunden sind. An dem andern Kopfe gehen die Haare glatt über den Scheitel, und die vordere gekräuselten Haare sind durch ein Band gesammlet und gebunden. Es ist glaublich, daß dieser Kopf durch eine neuere wiewohl gute Hand gearbeitet und angesetzt worden.

Das Haupt dieser beiden Figuren ist mit keinem Schleier bedecket, welches ihnen aber den Titel der Vestalen nicht streitig machet; da erweislich ist, daß sich auch anderwärts Priesterinnen der Vesta ohne Schleier finden. Oder es scheinet vielmehr aus den starken Falten des Gewandes hinten am Halse, daß der Schleier, welcher kein abgesondertes Teil vom Gewande ist, wie an der größten Vestale zu sehen, hinten übergeschlagen liege.

Es verdienet der Welt bekanntgemacht zu werden, daß diese drei göttlichen Stücke die ersten Spuren gezeiget zur nachfolgenden Entdeckung der unterirdischen Schätze von der Stadt Herkulaneum.

Sie kamen an das Tagelicht, da annoch das Andenken derselben gleichsam unter der Vergessenheit, so wie die Stadt selbst, unter ihren eigenen Ruinen vergraben und verschüttet lag: zu der Zeit, da das traurige Schicksal, welches diesen Ort betroffen, nur fast noch allein durch des jüngern Plinius Nachricht von dem Ende seines Vetters, welches ihn in der

Verwüstung von Herkulaneum zugleich mit übereilete, bekannt war.

Diese großen Meisterstücke der griechischen Kunst wurden schon unter den deutschen Himmel versetzet, und daselbst verehret, da Neapel noch nicht das Glück hatte, ein einziges herkulanisches Denkmal, soviel man erfahren können, aufzuweisen.

Sie wurden im Jahr 1706 in Portici bei Neapel in einem verschütteten Gewölbe gefunden, da man den Grund grub zu einem Landhause des Prinzen von Elbeuf, und sie kamen unmittelbar hernach, nebst andern daselbst entdeckten Statuen in Marmor und Erzt, in den Besitz des Prinzen Eugens nach Wien.

Dieser große Kenner der Künste, um einen vorzüglichen Ort zu haben, wo dieselben könnten aufgestellet werden, hat vornehmlich für diese drei Figuren eine Sala terrena[16] bauen lassen, wo sie nebst einigen andern Statuen ihren Platz bekommen haben. Die ganze Akademie und alle Künstler in Wien waren gleichsam in Empörung, da man nur noch ganz dunkel von derselben Verkauf sprach, und ein jeder sahe denselben mit betrübten Augen nach, als sie von Wien nach Dresden fortgeführet wurden.

Der berühmte Mattielli[17],

>   dem Polyklet das Maß, und Phidias das Eisen gab
>   *Algarotti*

hat, ehe noch dieses geschahe, alle drei Vestalen mit dem mühsamsten Fleiße in Ton kopieret, um sich den Verlust derselben dadurch zu ersetzen. Er folgete ihnen einige Jahre hernach, und erfüllete Dresden mit ewigen Werken seiner Kunst: aber seine Priesterinnen blieben auch hier sein Studium in der Draperie, worin seine Stärke bestand, bis in sein Alter; welches zugleich ein nicht ungegründetes Vorurteil ihrer Trefflichkeit ist.

Unter dem Wort Draperie begreift man alles, was die Kunst von Bekleidung des Nackenden der Figuren und von gebrochenen Gewändern lehret. Diese Wissenschaft ist nach der schönen Natur, und nach dem edlen Kontur, der dritte Vorzug der Werke des Altertums.

Die Draperie der Vestalen ist in der höchsten Manier: die kleinen Brüche entstehen durch einen sanften Schwung aus den größeren Partien, und verlieren sich wieder in diesen mit einer edlen Freiheit und sanften Harmonie des Ganzen, ohne den schönen Kontur des Nackenden zu verstecken. Wie wenig neuere Meister sind in diesem Teile der Kunst ohne Tadel!

Diese Gerechtigkeit aber muß man einigen großen Künstlern, sonderlich Malern neuerer Zeiten, widerfahren lassen, daß sie in gewissen Fällen von dem Wege, den die griechischen Meister in Bekleidung ihrer Figuren am gewöhnlichsten gehalten haben, ohne Nachteil der Natur und Wahrheit abgegangen sind. Die griechische Draperie ist mehrenteils nach dünnen und nassen Gewändern gearbeitet, die sich folglich, wie Künstler wissen, dicht an die Haut und an den Körper schließen, und das Nackende desselben sehen lassen. Das ganze oberste Gewand des griechischen Frauenzimmers war ein sehr dünner Zeug; er hieß daher *Peplon*, ein Schleier.

Daß die Alten nicht allezeit fein gebrochene Gewänder gemacht haben, zeigen die erhabenen Arbeiten derselben. Die alten Malereien, und sonderlich die alten Brustbilder. Der schöne Caracalla unter den Königlichen Antiken in Dresden kann dieses bestätigen.

In den neuern Zeiten hat man ein Gewand über das andere, und zuweilen schwere Gewänder, zu legen gehabt, die nicht in so sanfte und fließende Brüche, wie der Alten ihre sind, fallen können. Dieses gab folglich Anlaß zu der neuen Manier der großen Partien in Gewändern, in welcher der Meister seine Wissenschaft nicht weniger, als in der gewöhnlichen Manier der Alten zeigen kann.

Carlo Maratta und Francesco Solimena können in dieser Art vor die Größten gehalten werden. Die neue Venezianische Schule, welche noch weiter zu gehen gesuchet, hat diese Manier übertrieben, und indem sie nichts als große Partien gesuchet, sind ihre Gewänder dadurch steif und blechern worden.

Das allgemeine vorzügliche Kennzeichen der griechischen Meisterstücke ist endlich eine edle Einfalt, und eine stille Größe, sowohl in der Stellung als im Ausdrucke. So wie die Tiefe des Meers allezeit ruhig bleibt, die Oberfläche mag noch so wüten, ebenso zeiget der Ausdruck in den Figuren der Griechen bei allen Leidenschaften eine große und gesetzte Seele.

Diese Seele schildert sich in dem Gesichte des Laokoons[18], und nicht in dem Gesichte allein, bei dem heftigsten Leiden. Der Schmerz, welcher sich in allen Muskeln und Sehnen des Körpers entdecket, und den man ganz allein, ohne das Gesicht und andere Teile zu betrachten, an dem schmerzlich eingezogenen Unterleibe beinahe selbst zu empfinden glaubet; dieser Schmerz, sage ich, äußert sich dennoch mit keiner Wut in dem Gesichte und in der ganzen Stellung. Er erhebet kein schreckliches Geschrei, wie Vergil von seinem Laokoon singet: Die Öffnung des Mundes gestattet es nicht; es ist vielmehr ein ängstliches und beklemmtes Seufzen, wie es Sadoleto beschreibet[19]. Der Schmerz des Körpers und die Größe der Seele sind durch den ganzen Bau der Figur mit gleicher Stärke ausgeteilet, und gleichsam abgewogen. Laokoon leidet, aber er leidet wie des Sophokles Philoktet[20]: sein Elend gehet uns bis an die Seele; aber wir wünschten, wie dieser große Mann, das Elend ertragen zu können.

Der Ausdruck einer so großen Seele gehet weit über die Bildung der schönen Natur: Der Künstler mußte die Stärke des Geistes in sich selbst fühlen, welche er seinem Marmor einprägte. Griechenland hatte Künstler und Weltweisen in einer Person, und mehr als einen Metrodor[21]. Die Weisheit reichte der Kunst die Hand, und blies den Figuren derselben mehr als gemeine Seelen ein.

Unter einem Gewande, welches der Künstler dem Laokoon als einem Priester hätte geben sollen, würde uns sein

Schmerz nur halb so sinnlich gewesen sein. Bernini hat sogar den Anfang der Würkung des Gifts der Schlange in dem einen Schenkel des Laokoons an der Erstarrung desselben entdecken wollen.

Alle Handlungen und Stellungen der griechischen Figuren, die mit diesem Charakter der Weisheit nicht bezeichnet, sondern gar zu feurig und zu wild waren, verfielen in einen Fehler, den die alten Künstler *Parenthyrsis*[22] nannten.

Je ruhiger der Stand des Körpers ist, desto geschickter ist er, den wahren Charakter der Seele zu schildern: in allen Stellungen, die von dem Stande der Ruhe zu sehr abweichen, befindet sich die Seele nicht in dem Zustande, der ihr der eigentlichste ist, sondern in einem gewaltsamen und erzwungenen Zustande. Kenntlicher und bezeichnender wird die Seele in heftigen Leidenschaften; groß aber und edel ist sie in dem Stande der Einheit, in dem Stande der Ruhe. Im Laokoon würde der Schmerz, allein gebildet, Parenthyrsis gewesen sein; der Künstler gab ihm daher, um das Bezeichnende und das Edle der Seele in eins zu vereinigen, eine Aktion, die dem Stande der Ruhe in solchem Schmerze der nächste war. Aber in dieser Ruhe muß die Seele durch Züge, die ihr und keiner andern Seele eigen sind, bezeichnet werden, um sie ruhig, aber zugleich wirksam, stille, aber nicht gleichgültig oder schläfrig zu bilden.

Das wahre Gegenteil, und das diesem entgegenstehende äußerste Ende ist der gemeinste Geschmack der heutigen, sonderlich angehenden Künstler. Ihren Beifall verdienet nichts, als worin ungewöhnliche Stellungen und Handlungen, die ein freches Feuer begleitet, herrschen, welches sie mit Geist, mit Franchezza, wie sie reden, ausgeführet heißen. Der Liebling ihrer Begriffe ist der Kontrapost[23], der bei ihnen der Inbegriff aller selbstgebildeten Eigenschaften eines vollkommnen Werks der Kunst ist. Sie verlangen eine Seele in ihren Figuren, die wie ein Komet aus ihrem Kreise weichet; sie wünschten in jeder Figur einen Ajax[24] und einen Kapaneus[25] zu sehen.

Die schönen Künste haben ihre Jugend so wohl, wie die Menschen, und der Anfang dieser Künste scheinet wie der Anfang bei Künstlern gewesen zu sein, wo nur das Hochtrabende, das Erstaunende gefällt. Solche Gestalt hatte die tragische Muse des Aischylos, und sein Agamemnon ist zum Teil durch Hyperbolen viel dunkler geworden, als alles, was Heraklit geschrieben. Vielleicht haben die ersten griechischen Maler nicht anders gezeichnet, als ihr erster guter Tragicus gedichtet hat.

Das Heftige, das Flüchtige gehet in allen menschlichen Handlungen voran; das Gesetzte, das Gründliche folget zuletzt. Dieses letztere aber gebrauchet Zeit, es zu bewundern; es ist nur großen Meistern eigen: heftige Leidenschaften sind ein Vorteil auch für ihre Schüler.

Die Weisen in der Kunst wissen, wie schwer dieses scheinbare Nachahmliche ist

> ut sibi quivis
> Speret idem, sudet multum frustraque laboret
> Ausus idem.   *Hor.*[26]

Lafage, der große Zeichner hat den Geschmack der Alten nicht erreichen können. Alles ist in Bewegung in seinen Werken, und man wird in der Betrachtung derselben geteilet und zerstreuet, wie in einer Gesellschaft, wo alle Personen zugleich reden wollen.

Die edle Einfalt und stille Größe der griechischen Statuen ist zugleich das wahre Kennzeichen der griechischen Schriften aus den besten Zeiten, der Schriften aus Sokrates' Schule; und diese Eigenschaften sind es, welche die vorzügliche Größe eines Raffaels machen, zu welcher er durch die Nachahmung der Alten gelanget ist.

Eine so schöne Seele, wie die seinige war, in einem so schönen Körper wurde erfordert, den wahren Charakter der Alten in neueren Zeiten zuerst zu empfinden und zu entdecken, und was sein größtes Glück war, schon in einem Alter, in welchem gemeine und halbgeformte Seelen über die wahre Größe ohne Empfindung bleiben.

Mit einem Auge, welches diese Schönheiten empfinden gelernet, mit diesem wahren Geschmacke des Altertums muß man sich seinen Werken nähern. Alsdenn wird uns die Ruhe und Stille der Hauptfiguren in Raffaels Attila, welche vielen leblos scheinen, sehr bedeutend und erhaben sein. Der römische Bischof, der das Vorhaben des Königs der Hunnen, auf Rom loszugehen, abwendet, erscheinet nicht mit Gebärden und Bewegungen eines Redners, sondern als ein ehrwürdiger Mann, der bloß durch seine Gegenwart einen Aufruhr stillet; wie derjenige, den uns Vergil beschreibet,

> Tum pietate gravem ac meritis si forte virum quem
> Conspexere, silent arrectisque auribus adstant.
> *Aen. I.*[27]

mit einem Gesichte voll göttlicher Zuversicht vor den Augen des Wüterichs. Die beiden Apostel schweben nicht wie Würgeengel in den Wolken, sondern wenn es erlaubt ist, das Heilige mit dem Unheiligen zu vergleichen, wie Homers Jupiter, der durch das Winken seiner Augenlider den Olymp erschüttern macht.

Algardi in seiner berühmten Vorstellung ebendieser Geschichte in halb erhobener Arbeit, an einem Altar der St. Peterskirche in Rom, hat die wirksame Stille seines großen Vorgängers den Figuren seiner beiden Apostel nicht gegeben, oder zu geben verstanden. Dort erscheinen sie wie Gesandten des Herrn der Heerscharen: hier wie sterbliche Krieger mit menschlichen Waffen.

Wie wenig Kenner hat der schöne St. Michael des Guido in der Kapuzinerkirche zu Rom gefunden, welche die Größe des Ausdrucks, die der Künstler seinem Erzengel gegeben, einzusehen vermögend gewesen! Man gibt dem Conca seinem Michael den Preis vor jenen, weil er Unwillen und Rache im Gesichte zeigt, anstatt daß jener, nachdem er den Feind GOttes und der Menschen gestürzt, ohne Erbitterung mit einer heiteren und ungerührten Miene über ihn schwebet.

Ebenso ruhig und stille malet der englische Dichter den rächenden Engel, der über Britannien schwebet, mit welchem er den Helden seines *Feldzugs*, den Sieger bei Blenheim vergleichet[28].

Die Königliche Galerie der Schildereien in Dresden enthält nunmehro unter ihren Schätzen ein würdiges Werk von Raffaels Hand, und zwar von seiner besten Zeit, wie Vasari und andere mehr bezeugen. Eine Madonna mit dem Kinde, dem hl. Sixtus und der hl. Barbara, kniend auf beiden Seiten, nebst zwei Engeln im Vorgrunde[29].

Es war dieses Bild das Hauptaltarblatt des Klosters St. Sixti in Piacenza. Liebhaber und Kenner der Kunst gingen dahin, um diesen Raffael zu sehen, so wie man nur allein nach Thespiä reisete, den schönen Cupido von der Hand des Praxiteles daselbst zu betrachten.

Sehet die Madonna mit einem Gesichte voll Unschuld und zugleich einer mehr als weiblichen Größe, in einer selig ruhigen Stellung, in derjenigen Stille, welche die Alten in den Bildern ihrer Gottheiten herrschen ließen. Wie groß und edel ist ihr ganzer Kontur!

Das Kind auf ihren Armen ist ein Kind über gemeine Kinder erhaben, durch ein Gesichte, aus welchem ein Strahl der Gottheit durch die Unschuld der Kindheit hervorzuleuchten scheinet.

Die Heilige unter ihr kniet ihr zur Seiten in einer anbetenden Stille ihrer Seelen, aber weit unter der Majestät der Hauptfigur; welche Erniedrigung der große Meister durch den sanften Reiz in ihrem Gesichte ersetzet hat.

Der Heilige dieser Figur gegenüber ist der ehrwürdigste Alte mit Gesichtszügen, die von seiner Gott geweiheten Jugend zu zeugen scheinen.

Die Ehrfurcht der hl. Barbara gegen die Madonna, welche durch ihre an die Brust gedrückten schönen Hände sinnlicher und rührender gemacht ist, hilft bei dem Heiligen die Bewegung seiner einen Hand ausdrücken. Ebendiese Aktion malet uns die Entzückung des Heiligen, welche der Künstler zu mehrerer Mannigfaltigkeit, weislicher der männlichen Stärke, als der weiblichen Züchtigkeit geben wollen.

Die Zeit hat allerdings vieles von dem scheinbaren Glanze dieses Gemäldes geraubet, und die Kraft der Farben ist zum Teil ausgewittert; allein die Seele, welche der Schöpfer dem Werke seiner Hände eingeblasen, belebet es noch itzo.

Alle diejenigen, welche zu diesem und andern Werken Raffaels treten, in der Hoffnung, die kleinen Schönheiten anzutreffen, die den Arbeiten der niederländischen Maler einen so hohen Preis geben; den mühsamen Fleiß eines Netschers, oder eines Dou, das elfenbeinerne Fleisch eines van der Werff, oder auch die geleckte Manier einiger von Raffaels Landesleuten unserer Zeit; diese, sage ich, werden den großen Raffael in dem Raffael vergebens suchen.

Nach dem Studio der schönen Natur, des Konturs, der Draperie, und der edlen Einfalt und stillen Größe in den Werken griechischer Meister, wäre die Nachforschung über ihre Art zu arbeiten ein nötiges Augenmerk der Künstler, um in der Nachahmung derselben glücklicher zu sein.

Es ist bekannt, daß sie ihre ersten Modelle mehrenteils in Wachs gemachet haben; die neuern Meister aber haben an dessen Statt Ton oder dergleichen geschmeidige Massen gewählet: sie fanden dieselben, sonderlich das Fleisch auszudrücken, geschickter als das Wachs, welches ihnen hierzu gar zu klebricht und zähe schien.

Man will unterdessen nicht behaupten, daß die Art in nassen Ton zu bilden den Griechen unbekannt, oder nicht üblich bei ihnen gewesen. Man weiß sogar den Namen desjenigen, welcher den ersten Versuch hierin gemacht hat. Dibutades von Sikyon ist der erste Meister einer Figur in Ton, und Arkesilaos, der Freund des großen Lucullus, ist mehr durch seine Modelle in Ton, als durch seine Werke selbst, berühmt worden. Er machte für den Lucullus eine Figur in Ton, welche die Glückseligkeit vorstellete, die dieser mit 60 000 Sesterzen behandelt hatte, und der Ritter Octavius gab ebendiesem Künstler ein Talent für ein bloßes

Modell in Gips zu einer großen Tasse, die jener wollte in
Gold arbeiten lassen.

Der Ton wäre die geschickteste Materie, Figuren zu bilden, wenn er seine Feuchtigkeit behielte. Da ihm aber diese
entgehet, wenn er trocken und gebrannt wird, so werden
folglich die festeren Teile desselben näher zusammentreten,
und die Figur wird an ihrer Maße verlieren, und einen enge-
ren Raum einnehmen. Litte die Figur diese Verminderung
in gleichem Grade in allen ihren Punkten und Teilen, so
bliebe ebendieselbe, obgleich verminderte, Verhältnis. Die
kleinen Teile derselben aber werden geschwinder trocknen,
als die größeren, und der Leib der Figur, als der stärkste
Teil, am spätesten; und jenen wird also in gleicher Zeit mehr
an ihrer Maße fehlen als diesem.

Das Wachs hat diese Unbequemlichkeit nicht: es verschwindet nichts davon, und es kann demselben die Glätte
des Fleisches, die es im Poussieren nicht ohne große Mühe
annehmen will, durch einen andern Weg gegeben werden.

Man machet sein Modell von Ton: man formet es in Gips,
und gießet es alsdenn in Wachs.

Die eigentliche Art der Griechen aber nach ihren Modellen
in Marmor zu arbeiten, scheinet nicht diejenige gewesen zu
sein, welche unter den meisten heutigen Künstlern üblich ist.
In dem Marmor der Alten entdecket sich allenthalben die
Gewißheit und Zuversicht des Meisters, und man wird auch
in ihren Werken von niedrigem Range nicht leicht dartun
können, daß irgendwo etwas zu viel weggehauen worden.
Diese sichere und richtige Hand der Griechen muß durch
bestimmtere und zuverlässigere Regeln, als die bei uns ge-
bräuchlich sind, notwendig sein geführet worden.

Der gewöhnliche Weg unserer Bildhauer ist, über ihre
Modelle, nachdem sie dieselben wohl ausstudieret, und aufs
beste geformet haben, Horizontal- und Perpendikularlinien
zu ziehen, die folglich einander durchschneiden. Alsdenn
verfahren sie, wie man ein Gemälde durch ein Gitter ver-

jünget und vergrößert, und ebensoviel einander durchschneidende Linien werden auf den Stein getragen.

Es zeigt also ein jedes kleines Viereck des Modells seine Flächenmaße auf jedes große Viereck des Steins an. Allein weil dadurch nicht der körperliche Inhalt bestimmet werden kann, folglich auch weder der rechte Grad der Erhöhung und Vertiefung des Modells hier gar genau zu beschreiben ist: so wird der Künstler zwar seiner künftigen Figur ein gewisses Verhältnis des Modells geben können: aber da er sich nur der Kenntnis seines Auges überlassen muß, so wird er beständig zweifelhaft bleiben, ob er zu tief oder zu flach nach seinem Entwurf gearbeitet, ob er zu viel oder zu wenig Masse weggenommen.

Er kann auch weder den äußeren Umriß noch denjenigen, welcher die inneren Teile des Modells, oder diejenigen, welche gegen das Mittel zu gehen, oft nur wie mit einem Hauch anzeiget, durch solche Linien bestimmen, durch die er ganz untrüglich und ohne die geringste Abweichung ebendieselben Umrisse auf seinen Stein entwerfen könnte.

Hierzu kommt, daß in einer weitläuftigen Arbeit, welche der Bildhauer allein nicht bestreiten kann, er sich der Hand seiner Gehülfen bedienen muß, die nicht allezeit geschickt sind, die Absichten von jenem zu erreichen: Geschiehet es, daß einmal etwas verhauen ist, weil unmöglich nach dieser Art Grenzen der Tiefen können gesetzet werden, so ist der Fehler unersetzlich.

Überhaupt ist hier zu merken, daß derjenige Bildhauer, der schon bei der ersten Bearbeitung seines Steins seine Tiefen bohret, so weit als sie reichen sollen, und dieselben nicht nach und nach suchet, so, daß sie durch die letzte Hand allererst ihre gesetzte Höhlung erhalten, daß dieser, sage ich, niemals wird sein Werk von Fehlern reinigen können.

Es findet sich auch hier dieser Hauptmangel, daß die auf den Stein getragene Linien alle Augenblicke weggehauen, und ebensooft, nicht ohne Besorgnis der Abweichung, von neuen müssen gezogen und ergänzt werden.

Die Ungewißheit nach dieser Art nötigte also die Künstler, einen sicherern Weg zu suchen, und derjenige, welchen die französische Akademie in Rom erfunden, und zum Kopieren der alten Statuen zuerst gebraucht hat, wurde von vielen, auch im Arbeiten nach Modellen, angenommen.

Man befestigt nämlich über einer Statue, die man kopieren will, nach dem Verhältnis derselben, ein Viereck, von welchem man nach gleich eingeteilten Graden Bleifaden herunterfallen lässet. Durch diese Faden werden die äußersten Punkte der Figur deutlicher bezeichnet, als in der ersten Art durch Linien auf der Fläche, wo ein jeder Punkt der äußerste ist, geschehen konnte: sie geben auch dem Künstler eine sinnlichere Maße von einigen der stärksten Erhöhungen und Vertiefungen durch die Grade ihrer Entfernung von Teilen, welche sie decken, und er kann durch Hülfe derselben etwas herzhafter gehen.

Da aber der Schwung einer krummen Linie durch eine einzige gerade Linie nicht genau zu bestimmen ist, so werden ebenfalls die Umrisse der Figur durch diesen Weg sehr zweifelhaft für den Künstler angedeutet, und in geringen Abweichungen von ihrer Hauptfläche wird sich derselbe alle Augenblicke ohne Leitfaden und ohne Hülfe sehen.

Es ist sehr begreiflich, daß in dieser Manier auch das wahre Verhältnis der Figuren schwer zu finden ist: Man suchet dieselben durch Horizontallinien, welche die Bleifaden durchschneiden. Die Lichtstrahlen aber aus den Vierecken, die diese von der Figur abstehende Linien machen, werden unter einem desto größeren Winkel ins Auge fallen, folglich größer erscheinen, je höher oder tiefer sie unserem Sehepunkte sind.

Zum Kopieren der Antiken, mit denen man nicht nach Gefallen umgehen kann, behalten die Bleifaden noch bis itzo ihren Wert, und man hat diese Arbeit noch nicht leichter und sicherer machen können: aber im Arbeiten nach einem Modelle ist dieser Weg aus angezeigten Gründen nicht bestimmt genug.

Michelangelo hat einen vor ihm unbekannten Weg genommen, und man muß sich wundern, da ihn die Bildhauer als ihren großen Meister verehren, daß vielleicht niemand unter ihnen sein Nachfolger geworden.

Dieser Phidias neuerer Zeiten und der Größte nach den Griechen ist, wie man vermuten könnte, auf die wahre Spur seiner großen Lehrer gekommen, wenigstens ist kein anderes Mittel der Welt bekanntgeworden, alle möglich sinnlichen Teile und Schönheiten des Modells auf der Figur selbst hinüberzutragen und auszudrücken.

Vasari hat diese Erfindung desselben etwas unvollkommen beschrieben: der Begriff nach dessen Bericht ist folgender[30]:

Michelangelo nahm ein Gefäß mit Wasser, in welches er sein Modell von Wachs oder von einer harten Materie legte: Er erhöhete dasselbe allmählich bis zur Oberfläche des Wassers. Also entdeckten sich zuerst die erhabenen Teile, und die vertieften waren bedeckt, bis endlich das ganze Modell bloß und außer dem Wasser lag. Auf ebendie Art, sagt Vasari, arbeitete Michelangelo seinen Marmor: er deutete zuerst die erhabenen Teile an, und nach und nach die tieferen.

Es scheinet, Vasari habe entweder von der Manier seines Freundes nicht den deutlichsten Begriff gehabt, oder die Nachlässigkeit in seiner Erzählung verursachet, daß man sich dieselbe etwas verschieden, von dem, was er berichtet, vorstellen muß.

Die Form des Wassergefäßes ist hier nicht deutlich genug bestimmt. Die nach und nach geschehene Erhebung seines Modells außer dem Wasser von unten auf, würde sehr mühsam sein, und setzet viel mehr voraus, als uns der Geschichtschreiber der Künstler hat wollen wissen lassen.

Man kann überzeugt sein, daß Michelangelo diesen von ihm erfundenen Weg werde aufs möglichste ausstudieret, und sich bequem gemacht haben. Er ist aller Wahrscheinlichkeit nach folgendergestalt verfahren:

Der Künstler nahm ein Gefäß nach der Form der Masse zu seiner Figur, die wir ein langes Viereck setzen wollen.

Er bezeichnete die Oberfläche der Seiten dieses viereckigten Kastens mit gewissen Abteilungen, die er nach einem vergrößerten Maßstabe auf seinen Stein hinübertrug, und außerdem bemerkte er die inwendigen Seiten desselben von oben bis auf den Grund mit gewissen Graden. In dem Kasten legte er sein Modell von schwerer Materie, oder befestigte es an dem Boden, wenn es von Wachs war. Er bespannete etwa den Kasten mit einem Gitter nach den gemachten Abteilungen, nach welchen er Linien auf seinen Stein zeichnete, und vermutlich unmittelbar hernach seine Figur. Auf das Modell goß er Wasser, bis es an die äußersten Punkte der erhabenen Teile reichete, und nachdem er denjenigen Teil bemerket hatte, der auf seiner gezeichneten Figur erhoben werden mußte, ließ er ein gewisses Maß Wasser ab, um den erhobenen Teil des Modells etwas weiter hervorgehen zu lassen, und fing alsdenn an diesen Teil zu bearbeiten, nach der Maße der Grade, wie er sich entdeckte. War zu gleicher Zeit ein anderer Teil seines Modells sichtbar geworden, so wurde er auch, so weit er bloß war, bearbeitet, und so verfuhr er mit allen erhabenen Teilen.

Es wurde mehr Wasser abgelassen, bis auch die Vertiefungen hervorlagen. Die Grade des Kastens zeigten ihm allemal die Höhe des gefallenen Wassers, und die Fläche des Wassers die äußerste Grundlinie der Tiefen an. Ebensoviel Grade auf seinem Steine waren seine wahren Maße.

Das Wasser beschrieb ihm nicht allein die Höhen und Tiefen, sondern auch den Kontur seines Modells; und der Raum von den inneren Seiten des Kastens bis an den Umriß der Linie des Wassers, dessen Größe die Grade der anderen zwei Seiten gaben, war in jedem Punkte das Maß, wieviel er von seinem Steine wegnehmen konnte.

Sein Werk hatte nunmehr die erste aber eine richtige Form erhalten. Die Fläche des Wassers hatte ihm eine Linie beschrieben, von welcher die äußersten Punkte der Erhobenheiten Teile sind. Diese Linie war mit dem Falle des Wassers in seinem Gefäße gleichfalls waagerecht fortgerücket, und der Künstler war dieser Bewegung mit seinem Eisen gefolget, bis dahin, wo ihm das Wasser den niedrigsten Abhang der erhabenen Teile, der mit den Flächen zusammenfließt, bloß zeigete. Er war also mit jedem verjüngten Grade in dem Kasten seines Modells einen gleichgesetzten größeren Grad auf seiner Figur fortgegangen, und auf diese Art hatte ihn die Linie des Wassers bis über den äußersten Kontur in seiner Arbeit geführt, so daß das Modell nunmehro vom Wasser entblößt lag.

Seine Figur verlangte die schöne Form. Er goß von neuem Wasser auf sein Modell, bis zu einer ihm dienlichen Höhe, und alsdenn zählete er die Grade des Kastens bis auf die Linie, welche das Wasser beschrieb, wodurch er die Höhe des erhabenen Teils ersahe. Auf ebendenselben erhabenen Teil seiner Figur legte er sein Richtscheit vollkommen waagerecht, und von der untersten Linie desselben nahm er die Maße bis auf die Vertiefung. Fand er eine gleiche Anzahl verjüngter und größerer Grade, so war dieses eine Art geometrischer Berechnung des Inhalts, und er erhielt den Beweis, daß er richtig verfahren war.

Bei der Wiederholung seiner Arbeit suchte er den Druck und die Bewegung der Muskeln und Sehnen, den Schwung der übrigen kleinen Teile, und das Feinste der Kunst, in seinem Modelle, auch in seiner Figur auszuführen. Das Wasser, welches sich auch an die unmerklichsten Teile legte, zog den Schwung derselben aufs schärfste nach, und beschrieb ihm mit der richtigsten Linie den Kontur derselben.

Dieser Weg verhindert nicht, dem Modelle alle mögliche Lagen zu geben. Ins Profil geleget, wird es dem Künstler vollends entdecken, was er übersehen hat. Es wird ihm auch den äußeren Kontur seiner erhabenen und seiner inneren Teile und den ganzen Durchschnitt zeigen.

Alles dieses und die Hoffnung eines guten Erfolgs der Arbeit setzet ein Modell voraus, welches mit Händen der Kunst nach dem wahren Geschmack des Altertums gebildet worden.

Dieses ist die Bahn, auf welcher Michelangelo bis zur Unsterblichkeit gelanget ist. Sein Ruf und seine Belohnungen erlaubeten ihm Muße, mit solcher Sorgfalt zu arbeiten.

Ein Künstler unserer Zeiten, dem Natur und Fleiß Gaben verliehen, höher zu steigen, und welcher Wahrheit und Richtigkeit in dieser Manier findet, sieht sich genötiget, mehr nach Brot, als nach Ehre, zu arbeiten. Er bleibet also in dem ihm üblichen Gleise, worin er eine größere Fertigkeit zu zeigen glaubet, und fähret fort, sein durch langwierige Übung erlangtes Augenmaß zu seiner Regel zu nehmen.

Dieses Augenmaß, welches ihn vornehmlich führen muß, ist endlich durch praktische Wege, die zum Teil sehr zweifelhaft sind, ziemlich entscheidend worden: wie fein und zuverlässig würde er es gemacht haben, wenn er es von Jugend auf nach untrüglichen Regeln gebildet hätte?

Würden angehende Künstler bei der ersten Anführung, in Ton oder in andere Materie zu arbeiten, nach dieser sichern Manier des Michelangelo angewiesen, die dieser nach langem Forschen gefunden, so könnten sie hoffen, so nahe, wie er, den Griechen zu kommen.

Alles was zum Preis der griechischen Werke in der Bildhauerkunst kann gesaget werden, sollte nach aller Wahrscheinlichkeit auch von der Malerei der Griechen gelten. Die Zeit aber und die Wut der Menschen hat uns die Mittel geraubet, einen unumstößlichen Ausspruch darüber zu tun.

Man gestehet den griechischen Malern Zeichnung und Ausdruck zu; und das ist alles: Perspektiv, Komposition und Kolorit spricht man ihnen ab. Dieses Urteil gründet sich teils auf halb erhobene Arbeiten, teils auf die entdeckten Malereien der Alten (der Griechen kann man nicht sagen) in und bei Rom, in unterirdischen Gewölbern der Paläste des Maecenas, des Titus, Trajans und der Antoniner, von welchen nicht viel über dreißig bis itzo ganz erhalten worden, und einige sind nur in mosaischer Arbeit.

Turnbull hat seinem Werke von der alten Malerei eine Sammlung der bekanntesten Stücke, von Camillo Paderni

gezeichnet, und von Mynde gestochen, beigefüget, welche
dem prächtigen und gemißbrauchten Papier seines Buchs den
einzigen Wert geben. Unter denselben sind zwei, wovon die
Originale selbst in dem Kabinett des berühmten Arztes
Richard Meads in London sind.

Daß Poussin nach der sogenannten Aldobrandinischen
Hochzeit[31] studieret; daß sich noch Zeichnungen finden, die
Annibale Carracci nach dem vorgegebenen Marcus Coriola-
nus gemacht; und daß man eine große Gleichheit unter den
Köpfen in Guido Reni Werken, und unter den Köpfen auf
der bekannten mosaischen Entführung der Europa, hat finden wollen, ist bereits von andern bemerket.

Wenn dergleichen Freskogemälde ein gegründetes Urteil
von der Malerei der Alten geben können; so würde man
den Künstlern unter ihnen aus Überbleibseln von dieser Art
auch die Zeichnung und den Ausdruck streitig machen wollen.

Die von den Wänden des herkulanischen Theaters mitsamt
der Mauer versetzte Malereien mit Figuren in Lebensgröße,
geben uns, wie man versichert, einen schlechten Begriff davon. Der Theseus, als ein Überwinder des Minotauren, wie
ihm die jungen Athenienser die Hände küssen und seine
Knie umfassen: die Flora nebst dem Herkules und einen
Faun: der vorgegebene Gerichtsspruch des Dezemvirs Appius Claudius, sind nach dem Augenzeugnis eines Künstlers
zum Teil mittelmäßig, und zum Teil fehlerhaft gezeichnet.
In den mehresten Köpfen ist, wie man versichert, nicht allein kein Ausdruck, sondern in dem Appius Claudius sind
auch keine guten Charaktere.

Aber ebendieses beweiset, daß es Malereien von der Hand
sehr mittelmäßiger Meister sind; da die Wissenschaft der
schönen Verhältnisse, der Umrisse der Körper, und des Ausdrucks bei griechischen Bildhauern, auch ihren guten Malern
eigen gewesen sein muß.

Diese den alten Malern zugestandene Teile der Kunst lassen den neuern Malern noch sehr viel Verdienste um dieselbe.

In der Perspektiv gehöret ihnen der Vorzug unstreitig, und er bleibt, bei aller gelehrten Verteidigung der Alten, in Ansehung dieser Wissenschaft, auf seiten der Neueren. Die Gesetze der Komposition und Ordonnance waren den Alten nur zum Teil und unvollkommen bekannt; wie die erhobenen Arbeiten von Zeiten, wo die griechischen Künste in Rom geblühet, dartun können.

In der Kolorit scheinen die Nachrichten in den Schriften der Alten und die Überbleibsel der alten Malerei auch zum Vorteil der neuern Künstler zu entscheiden.

Verschiedene Arten von Vorstellungen der Malerei sind gleichfalls zu einen höheren Grad der Vollkommenheit in neuern Zeiten gelanget. In Viehstücken und Landschaften haben unsere Maler allem Ansehen nach die alten Maler übertroffen. Die schönern Arten von Tieren unter andern Himmelstrichen scheinen ihnen nicht bekannt gewesen zu sein; wenn man aus einzelnen Fällen, von dem Pferde des Marcus Aurelius, von den beiden Pferden in Monte Cavallo, ja von den vorgegebenen Lysippischen Pferden über dem Portal der St. Markuskirche in Venedig, von dem Farnesischen Ochsen und den übrigen Tieren dieses Gruppo, schließen darf.

Es ist hier im Vorbeigehen anzuführen, daß die Alten bei ihren Pferden die diametralische Bewegung der Beine nicht beobachtet haben, wie an den Pferden in Venedig und auf alten Münzen zu sehen ist. Einige Neuere sind ihnen hierin aus Unwissenheit gefolget, und sogar verteidiget worden.

Unsere Landschaften, sonderlich der niederländischen Maler, haben ihre Schönheit vornehmlich dem Ölmalen zu danken: ihre Farben haben dadurch mehrere Kraft, Freudigkeit und Erhobenheit erlanget, und die Natur selbst unter einem dickern und feuchtern Himmel hat zur Erweiterung der Kunst in dieser Art nicht wenig beigetragen.

Es verdienten die angezeigten und einige andere Vorzüge der neuern Maler vor den alten, in ein größeres Licht, durch gründlichere Beweise, als noch bisher geschehen ist, gesetzet zu werden.

Zur Erweiterung der Kunst ist noch ein großer Schritt übrig zu tun. Der Künstler, welcher von der gemeinen Bahn abzuweichen anfängt, oder wirklich abgewichen ist, suchet diesen Schritt zu wagen; aber sein Fuß bleibet an dem jähesten Orte der Kunst stehen, und hier siehet er sich hülflos.

Die Geschichte der Heiligen, die Fabeln und Verwandlungen sind der ewige und fast einzige Vorwurf der neuern Maler seit einigen Jahrhunderten: Man hat sie auf tausenderlei Art gewandt und ausgekünstelt, daß endlich Überdruß und Ekel den Weisen in der Kunst und den Kenner überfallen muß.

Ein Künstler, der eine Seele hat, die denken gelernt, läßt dieselbe müßig und ohne Beschäftigung bei einer Daphne und bei einem Apollo; bei einer Entführung der Proserpina, einer Europa und bei dergleichen. Er suchet sich als einen Dichter zu zeigen, und Figuren durch Bilder, das ist, allegorisch zu malen.

Die Malerei erstreckt sich auch auf Dinge, die nicht sinnlich sind; diese sind ihr höchstes Ziel, und die Griechen haben sich bemühet, dasselbe zu erreichen, wie die Schriften der Alten bezeugen. Parrhasios, ein Maler, der wie Aristides die Seele schilderte, hat sogar, wie man sagt, den Charakter eines ganzen Volks ausdrücken können. Er malete die Athenienser, wie sie gütig und zugleich grausam, leichtsinnig und zugleich hartnäckig, brav und zugleich feige waren. Scheinet die Vorstellung möglich, so ist sie es nur allein durch den Weg der Allegorie, durch Bilder, die allgemeine Begriffe bedeuten.

Der Künstler befindet sich hier wie in einer Einöde. Die Sprachen der wilden Indianer, die einen großen Mangel an dergleichen Begriffen haben, und die kein Wort enthalten, welches Erkenntlichkeit, Raum, Dauer usw. bezeichnen könnte, sind nicht leerer von solchen Zeichen, als es die Ma-

lerei zu unseren Zeiten ist. Derjenige Maler, der weiter den-
ket als seine Palette reichet, wünschet einen gelehrten Vorrat
zu haben, wohin er gehen, und bedeutende und sinnlich gemachte Zeichen von Dingen, die nicht sinnlich sind, nehmen
könnte. Ein vollständig Werk in dieser Art ist noch nicht
vorhanden: die bisherigen Versuche sind nicht beträchtlich
genug, und reichen nicht bis an diese große Absichten. Der
Künstler wird wissen, wie weit ihm des Ripa Ikonologie, die
Denkbilder der alten Völker von de Hooghe Gnüge tun
werden[32].

Dieses ist die Ursach, daß die größten Maler nur bekannte
Vorwürfe gewählet. Annibale Carracci, anstatt, daß er die
berühmtesten Taten und Begebenheiten des Hauses Farnese
in der Farnesischen Galerie, als ein allegorischer Dichter
durch allgemeine Symbola und durch sinnliche Bilder hätte
vorstellen können, hat hier seine ganze Stärke bloß in bekannten Fabeln gezeiget.

Die Königliche Galerie der Schildereien in Dresden enthält ohne Zweifel einen Schatz von Werken der größten
Meister, der vielleicht alle Galerien in der Welt übertrifft,
und Seine Majestät haben, als der weiseste Kenner der schönen Künste, nach einer strengen Wahl nur das Vollkommen-
ste in seiner Art gesuchet; aber wie wenig historische Werke
findet man in diesem königlichen Schatze! von allegorischen,
von dichterischen Gemälden noch weniger.

Der große Rubens ist der vorzüglichste unter großen Malern, der sich auf den unbetretenen Weg dieser Malerei in
großen Werken als ein erhabener Dichter, gewaget. Die
Luxemburgische Galerie, als sein größtes Werk, ist durch die
Hand der geschicktesten Kupferstecher der ganzen Welt bekannt worden[33].

Nach ihm ist in neueren Zeiten nicht leicht ein erhabeners
Werk in dieser Art unternommen und ausgeführt worden,
dergleichen die Cuppola der Kaiserlichen Bibliothek in Wien
ist, von Daniel Gran[34] gemalet, und von Sedelmayr in
Kupfer gestochen. Die Vergötterung des Herkules in Ver-

sailles, als eine Allusion auf den Kardinal Hercule de
Fleury, von Lemoyne gemalet, womit Frankreich als mit der
größten Komposition in der Welt pranget, ist gegen die gelehrte und sinnreiche Malerei des deutschen Künstlers eine
sehr gemeine und kurzsichtige Allegorie: sie ist wie ein Lob-
gedicht, worin die stärksten Gedanken sich auf den Namen
im Kalender beziehen. Hier war der Ort, etwas Großes zu
machen, und man muß sich wundern, daß es nicht geschehen
ist. Man siehet aber auch zugleich ein, hätte auch die Vergötterung eines Ministers den vornehmsten Plafond des
königlichen Schlosses zieren sollen, woran es dem Maler ge-
fehlet.

Der Künstler hat ein Werk vonnöten, welches aus der
ganzen Mythologie, aus den besten Dichtern alter und neuerer Zeiten, aus der geheimen Weltweisheit vieler Völker, aus
den Denkmalen des Altertums auf Steinen, Münzen und
Geräten diejenige sinnliche Figuren und Bilder enthält, wodurch allgemeine Begriffe dichterisch gebildet worden. Dieser reiche Stoff würde in gewisse bequeme Klassen zu bringen, und durch eine besondere Anwendung und Deutung
auf mögliche einzelne Fälle, zum Unterricht der Künstler,
einzurichten sein[35].

Hierdurch würde zu gleicher Zeit ein großes Feld geöffnet, zur Nachahmung der Alten, und unsern Werken einen
erhabenen Geschmack des Altertums zu geben.

Der gute Geschmack in unsern heutigen Verzierungen,
welcher seit der Zeit, da Vitruv bittere Klagen über das
Verderbnis desselben führete, sich in neueren Zeiten noch
mehr verderbet hat, teils durch die von Morto, einem Maler
von Feltre gebürtig, in Schwang gebrachte Grotesken, teils
durch nichts bedeutende Malereien unserer Zimmer, könnte
zugleich durch ein gründlicheres Studium der Allegorie ge-
reiniget werden, und Wahrheit und Verstand erhalten.

Unsere Schnirkel und das allerliebste Muschelwerk[36], ohne
welches itzo keine Zierat förmlich werden kann, hat manch-
mal nicht mehr Natur als Vitruvs Leuchter, welche kleine

Schlösser und Paläste trugen. Die Allegorie könnte eine Gelehrsamkeit an die Hand geben, auch die kleinsten Verzierungen dem Orte, wo sie stehen, gemäß zu machen.

> Reddere personae scit convenientia cuique.
> *Hor.*[37]

Die Gemälde an Decken und über den Türen stehen mehrenteils nur da, um ihren Ort zu füllen, und um die ledigen
Plätze zu decken, welche nicht mit lauter Vergöldungen können angefüllet werden. Sie haben nicht allein kein Verhältnis
mit dem Stande und mit den Umständen des Besitzers, sondern sie sind demselben sogar oftmals nachteilig.

Der Abscheu vor den leeren Raum füllet also die Wände;
und Gemälde von Gedanken leer, sollen das Leere ersetzen.

Dieses ist die Ursach, daß der Künstler, dem man seiner
Willkür überläßt, aus Mangel allegorischer Bilder oft Vorwürfe wählet, die mehr zur Satire, als zur Ehre desjenigen,
dem er seine Kunst weihet, gereichen müssen: und vielleicht,
um sich hiervor in Sicherheit zu stellen, verlanget man aus
feiner Vorsicht von dem Maler, Bilder zu machen, die nichts
bedeuten sollen.

Es macht oft Mühe, auch dergleichen zu finden, und endlich

> velut aegri somnia, vanae
> Fingentur species.   *Hor.*[38]

Man benimmt also der Malerei dasjenige, worin ihr größtes Glück bestehet, nämlich die Vorstellung unsichtbarer,
vergangener und zukünftiger Dinge.

Diejenigen Malereien aber, welche an diesem oder jenem
Orte bedeutend werden könnten, verlieren das, was sie tun
würden, durch einen gleichgültigen oder unbequemen Platz,
den man ihnen anweiset.

Der Bauherr eines neuen Gebäudes

> Dives agris, dives positis in foenore nummis.
> *Hor.*[39]

wird vielleicht über die hohen Türen seiner Zimmer und
Säle kleine Bilder setzen lassen, die wider den Augenpunkt
und wider die Gründe der Perspektiv anstoßen. Die Rede
ist hier von solchen Stücken, die ein Teil der festen und un-
beweglichen Zieraten sind; nicht von solchen, die in einer
Sammlung nach der Symmetrie geordnet werden.

Die Wahl in Verzierungen der Baukunst ist zuweilen nicht
gründlicher: Armaturen und Trophäen werden allemal auf
ein Jagdhaus[40] ebenso unbequem stehen, als Ganymedes und
der Adler, Jupiter und Leda unter der erhobenen Arbeit der
Türen von Erzt, am Eingang der St. Peterskirche in Rom.

Alle Künste haben einen gedoppelten Endzweck: sie sollen vergnügen und zugleich unterrichten, und viele von den
größten Landschaftmalern haben daher geglaubet, sie würden ihrer Kunst nur zur Hälfte ein Genüge getan haben,
wenn sie ihre Landschaften ohne alle Figuren gelassen
hätten.

Der Pinsel, den der Künstler führet, soll im Verstand ge-
tunkt sein, wie jemand von dem Schreibegriffel des Aristoteles gesaget hat: Er soll mehr zu denken hinterlassen, als was
er dem Auge gezeiget, und dieses wird der Künstler erhalten, wenn er seine Gedanken in Allegorien nicht zu verstek-
ken, sondern einzukleiden gelernet hat. Hat er einen Vorwurf, den er selbst gewählet, oder der ihm gegeben worden,
welcher dichterisch gemacht, oder zu machen ist, so wird ihn
seine Kunst begeistern, und wird das Feuer, welches Prometheus den Göttern raubete, in ihm erwecken. Der Kenner
wird zu denken haben, und der bloße Liebhaber wird es
lernen.

Sendschreiben über die Gedanken
von der Nachahmung der griechischen Werke
in der Malerei und Bildhauerkunst.

Mein Freund!

Sie haben von den Künsten und von den Künstlern der Griechen geschrieben, und ich hätte gewünscht, daß Sie mit Ihrer Schrift, wie die griechischen Künstler mit ihren Werken, verfahren wären. Sie stellten sie den Augen aller Welt und sonderlich der Kenner bloß, ehe sie dieselben aus den Händen ließen, und ganz Griechenland urteilte über ihre Werke in den großen Spielen, sonderlich in den Olympischen. Sie wissen, daß Aëtion sein Gemälde von Alexanders Vermählung mit der Roxane dahin brachte. Sie hätten mehr als einen Proxenides, der dort den Künstler richtete, nötig gehabt. Wenn Sie nicht gar zu heimlich mit Ihrer Schrift gewesen wären, so hätte ich dieselbe, ohne den Namen des Verfassers zu melden, einigen Kennern und Gelehrten, mit denen ich hier in Bekanntschaft gekommen bin, vor dem Druck mitteilen wollen.

Einer von ihnen[1] hat zweimal Italien und die Gemälde der größten Meister an dem Orte selbst, wo sie gemacht sind, ganze Monate ein jedes angesehen. Sie wissen, daß man allein auf diese Art ein Kenner wird. Ein Mann der Ihnen sogar zu sagen weiß, welche von Guido Reni Altarblättern auf Taffend oder auf Leinwand gemalet sind; was vor Holz Raffael zu seiner Transfiguration genommen, usw. dessen Urteil, glaube ich, würde entscheidend gewesen sein!

Ein anderer[2] unter meinen Bekannten hat das Altertum studiert: er kennet es am Geruche;

> callet et artificem solo deprendere odore[3].
> *Sectani Sat.*

er weiß wieviel Knoten an der Keule des Herkules gewesen sind; wieviel des Nestors Becher nach dem heutigen Maß enthalten: ja man sagt, er werde endlich imstande sein, alle die Fragen zu beantworten, welche Kaiser Tiberius den Sprachlehrern vorgeleget hat.

Noch ein anderer[4] hat seit vielen Jahren nichts als alte Münzen angesehen. Er hat viel neue Entdeckungen gemacht, sonderlich zu einer Geschichte der alten Münzmeister; und man sagt, er werde die Welt aufmerksam machen durch einen Vorläufer von den Münzmeistern der Stadt Kyzikos.

Wie sicher würden Sie gefahren sein, wenn Ihre Arbeit vor den Richterstuhl solcher Gelehrten wäre gebracht worden! Diese Herren haben mir ihre Bedenken über dieselbe eröffnet: es ist mir leid um Ihre Ehre, wenn dergleichen öffentlich erscheinen sollten.

Unter andern Einwürfen wundert sich der erste, daß Sie die beiden Engel auf dem Raffael der Königlichen Galerie zu Dresden nicht beschrieben haben. Man hat ihm gesagt, daß ein Maler von Bologna, da er dieses Stück zu St. Sixtus in Piacenza gesehen, voller Verwunderung in einem Briefe ausruft; »Oh! was vor ein Engel aus dem Paradiese«! Dieses deutet er auf diese Engel, und er behauptet, daß es die schönsten Figuren in Raffaels Werke sein.

Er könnte Ihnen auch vorwerfen, der Raffael sei in der Art beschrieben, wie Raguenet einen hl. Sebastian von Beccafumi, einen Herkules mit dem Antaios von Lanfranco usw. schildert.

Der zweite glaubet, der Bart des Laokoons hätte ebensoviel Aufmerksamkeit in Ihrer Schrift als der eingezogene Leib desselben verdienet. Ein Kenner der Werke der Griechen, sagt er, muß den Bart des Laokoons mit ebenden Augen ansehen, mit welchen der Pater Labat den Bart des Moses von Michelangelo angesehen hat.

Dieser erfahrne Dominikaner,

qui mores hominum multorum vidit et urbes[5],

hat nach so vielen Jahrhunderten aus dem Barte der Statue bewiesen, wie Moses seinen Bart getragen, und wie die Juden denselben tragen müssen, wenn sie wollen Juden heißen.

Sie haben nach dieses Mannes Meinung ohne alle gelehrte Kenntnis von dem Peplon der Vestalen geschrieben: an der Beugung des Schleiers über der Stirn der größten Vestale hätte er Ihnen vielleicht ebensoviel entdecken können, als Cuper von der Spitze des Schleiers an der Figur der Tragödie auf der berühmten Vergötterung des Homers gesagt hat.

Es fehlet auch der Beweis, daß die Vestalen wirklich von der Hand eines griechischen Meisters sind. Unser Verstand bringt uns sehr oft nicht auf Sachen die uns natürlich einfallen sollten. Wenn man Ihnen beweisen wird, daß der Marmor zu diesen Figuren nicht Lychnites[6] gewesen, so kann es nicht fehlen, die Vestalen verlieren nebst Ihrer Schrift einen großen Wert. Sie hätten nur sagen dürfen, der Marmor habe große Körner: Beweis genug über eine griechische Arbeit; wer wird Ihnen so leicht dartun können, wie groß die Körner sein müssen, um einen griechischen Marmor von dem Marmor von Luna, den die alten Römer nahmen, zu unterscheiden. Ja, was noch mehr ist, man will sie nicht einmal vor Vestalen halten.

Der Münzverständige hat mir von Köpfen der Livia und der Agrippina gesagt, welche das von Ihnen angegebene Profil nicht haben. An diesem Orte, meinet er, hätten Sie die schönste Gelegenheit gehabt, von dem, was die Alten eine viereckigte Nase nennen, zu reden, welches zu Ihren Begriffen von der Schönheit gehöret hätte. Unterdessen wird Ihnen bekannt sein, daß die Nase an einigen der berühmtesten griechischen Statuen, als an der Mediceischen Venus, und an den Picchinischen Meleager viel zu dicke scheinet, als daß sie unsern Künstlern ein Muster der schönen Natur sein könnte.

Ich will Sie nicht kränken mit viel Zweifeln und Einwürfen, die wider Ihre Schrift vorgebracht sind, und welche zum Ekel wiederholet wurden, da ein akademischer Gelehrter, der den Charakter des Homerischen Margites[7] zu erlangen strebet, dazukam. Man zeigte ihm die Schrift; er sahe sie an und legte sie weg. Der erste Blick war ihm also schon

anstößig gewesen, und man sahe es ihm an, daß er um sein
Urteil befragt sein wollte, welches wir alle taten. Es scheinet
eine Arbeit, fing er an, über welche sich des Verfassers Fleiß
nicht in Unkosten hat setzen wollen: ich finde nicht über
vier bis fünf Allegata[8], und diese sind zum Teil nachlässig
angegeben, ohne Blatt und Kapitel zu bemerken. Es kann
nicht fehlen, er hat seine Nachrichten aus Büchern genommen, die er sich anzuführen schämet.

Endlich muß ich Ihnen sagen, daß jemand etwas in der
Schrift will gefunden haben, was mir noch itzo in derselben
verdeckt geblieben ist; nämlich, daß die Griechen als die Erfinder der Malerei und Bildhauerkunst angegeben worden;
welches ganz falsch ist, wie sich derselbe zu erklären be-
liebet. Er hat gehöret, daß es die Ägypter gewesen, oder
noch ein älter Volk, welches er nicht kenne.

Man kann auch aus den unerheblichsten Einfällen Nutzen
ziehen: unterdessen ist klar, daß Sie nur allein von dem
guten Geschmacke in diesen Künsten haben reden wollen,
und die erste Erfindung einer Kunst verhält sich mehrenteils
zu dem Geschmacke in derselben, wie das Samenkorn zu der
Frucht. Man kann die Kunst in der Wiege unter den Ägyptern in späteren Zeiten, und die Kunst in ihrer Schönheit
unter den Griechen auf ein und ebendemselben Stücke vergleichen. Man betrachte den Ptolemaios Philopator von der
Hand des Aulos, auf einem geschnittenen Steine, und neben
besagten Kopfe ein paar Figuren eines ägyptischen Meisters,
um das geringe Verdienst seiner Nation um diese Künste
einzusehen.

Die Form und den Geschmack ihrer Gemälde haben
Middleton und andere beurteilet. Die Gemälde von Personen in Lebensgröße auf zwo Mumien in dem Königlichen
Schatze der Altertümer zu Dresden geben von der elenden
Malerei der Ägypter deutliche Beweise. Diese beiden Körper
sind unterdessen unter mehr als einem Umstande merkwürdig, und ich werde meinem Schreiben eine kleine Nachricht
von denselben beifügen[9].

Ich kann nicht leugnen, mein Freund, ich muß diesen Erinnerungen zum Teil Recht widerfahren lassen. Der Mangel angeführter Schriften gereichet Ihnen zu einigem Vorurteil: die Kunst aus blauen Augen schwarze zu machen hätte wenigstens ein Allegatum verdienet. Sie machen es fast wie Demokritos; Was ist der Mensch? fragte man ihn: etwas das wir alle wissen, antwortete er. Welcher vernünftige Mensch kann alle griechische Scholiasten lesen!

Ibit eo, quo vis, qui zonam perdidit –
Horat.[10]

Diese Erinnerungen haben mich unterdessen veranlasset, die Schrift mit einem andern Auge, als vorher geschehen war, durchzugehen. Man ist insgemein gar zu geneigt, der Waage durch das Gewicht der Freundschaft oder des Gegenteils den Ausschlag geben zu lassen. Ich würde mich im ersteren Fall befinden: Allein um dieses Vorurteil zu heben, werde ich meine Einwürfe so weit zu treiben suchen, als es mir möglich ist.

Die erste und andere Seite will ich Ihnen schenken; ob ich schon über die Vergleichung der Diana des Vergils mit der Nausikaa des Homers, und über die Anwendung derselben, ein paar Worte sagen könnte. Ich glaube auch, die Nachricht auf der zweiten Seite von den gemißhandelten Stücken des Correggio, welche vermutlich aus des Herrn Graf Tessins Briefen genommen ist, hätte können erläutert werden mit einer Nachricht von dem Gebrauche, den man zu ebender Zeit von den Stücken der besten Meister in Stockholm gemacht hat.

Man weiß, daß in der Eroberung der Stadt Prag anno 1648 den 15. Julii durch den Graf Königsmark, das Beste aus der kostbaren Sammlung von Gemälden Kaiser Rudolfs II. weggenommen und nach Schweden geführet ist. Unter denselben waren etliche Stücke des Correggio, die derselbe für den Herzog Friedrich von Mantua gearbeitet hatte, und die dieser dem Kaiser schenkte. Die berühmte

Leda, und ein Cupido der an seinen Bogen arbeitet, waren
die vornehmsten von besagten Stücken. Die Königin Christina, die zu derselben Zeit mehr Schulwissenschaft als Geschmack hatte, verfuhr mit diesen Schätzen, wie Kaiser Claudius mit einem Alexander von der Hand des Apelles, der
den Kopf der Figur ausschneiden, und an desselben Stelle
des Augustus Kopf setzen ließ. Aus den schönsten Gemälden
schnitte man in Schweden die Köpfe, Hände und Füße her-
aus, die man auf eine Tapete klebete; das übrige wurde da-
zugemalet. Dasjenige, was das Glück gehabt hat, der Zer-
stümmelung zu entgehen, sonderlich die Stücke vom Correggio, nebst den Gemälden, welche die Königin in Rom
angekauft hat, kamen in den Besitz des Herzogs von
Orleans, der 250 Stücke vor 90 000 Scudi erstanden: unter
denselben waren eilf Gemälde von der Hand des Correggio.

Ich bin auch nicht allerdings zufrieden, daß Sie den nordischen Ländern allein vorwerfen, daß der gute Geschmack
bei ihnen spät bekanntgeworden, und dieses aus ihrer geringen Achtung schöner Gemälde. Wenn dieses von dem Geschmacke zeuget, so weiß ich nicht, wie man von unsern
Nachbarn urteilen könnte. Da Bonn die Residenz der Kur-
fürsten von Köln, in der sogenannten Fürstenbergischen
Sache, nach dem Tode Maximilian Heinrichs, von den Franzosen erobert wurde, ließ man die großen Gemälde von
ihren Rahmen ohne Unterschied herausschneiden, und über
die Bügel der Wagen spannen, auf welchen die Geräte und
die Kostbarkeiten des kurfürstlichen Schlosses nach Frankreich abgeführet wurden. Glauben Sie nicht, daß ich mit
bloß historischen Erinnerungen, wie ich angefangen habe,
fortfahren werde. Ehe ich Ihnen aber meine Zweifel bringe,
kann ich nicht umhin, Ihnen zwei allgemeine Punkte vor-
zuhalten.

Sie haben zum ersten in einem Stile geschrieben, wo oft
die Deutlichkeit unter der Kürze zu leiden scheinet. Haben
Sie besorgt, Sie möchten künftig zu der Strafe desjenigen
Spartaners, der mehr als drei Worte gesaget, verdammet

werden; nämlich Guicciardinis Krieg von Pisa zu lesen? Wo ein allgemeiner Unterricht der Endzweck ist, das muß für jedermann faßlich sein. Die Speisen sollen mehr nach dem Geschmack der Gäste, als nach dem Geschmack der Köche zugerichtet werden,

> coenae fercula nostrae
> Malim convivis, quam placuisse coquis[11].

Hernach geben Sie sich fast in einer jeden Zeile mit einer allzu großen Passion für das Altertum bloß. Ich hoffe, Sie werden der Wahrheit etwas einräumen, wenn ich in der Folge meiner Anmerkungen, wo mir etwas in diesem Punkte anstößig scheinet, erinnere.

Der erste besondere Einwurf, den ich Ihnen mache, ist auf der dritten Seite. Erinnern Sie sich allezeit, daß ich glimpflich mit Ihnen verfahre; ich habe die zwo ersten Seiten unangefochten gelassen;

> non temere a me
> Quivis ferret idem.   *Hor.*[12]

Itzo werde ich anfangen in der gewöhnlichen Form der Beurteilungen einer Schrift mit Ihnen zu verfahren.

Der Verfasser redet von gewissen Nachlässigkeiten in den Werken der griechischen Künstler, die man ansehen soll, wie Lukian den Jupiter des Phidias zu Pisa will angesehen haben, »den Jupiter selbst, nicht den Schemel seiner Füße«; und man konnte demselben über dem Schemel vielleicht nichts, über die Statue selbst aber ein großes Vergehen vorwerfen.

Ist es nichts, daß Phidias seinen sitzenden Zeus so groß gemacht hat, daß er beinahe an die Decke des Tempels gereichet, und daß man befürchten müssen, der Gott werde das ganze Dach abwerfen, wenn es ihm einmal einfallen sollte aufzustehen? Man hätte weislicher gehandelt, diesen Tempel ohne Dach, wie den Tempel des Olympischen Jupiters zu Athen zu lassen.

Es ist keine Unbilligkeit, wenn man von dem Verfasser
eine Erklärung fordert, was er unter seinen Begriff der
Nachlässigkeiten verstehet. Es scheinet, als wenn die Fehler
der Alten unter diesem Namen zugleich mit durchschleichen
sollten, welche man sehr geneigt wäre, wie der griechische
Dichter Alkaios ein Mal auf dem Finger seines geliebten Kna-
bens, uns vor Schönheiten auszugeben. Man siehet vielmals
die Unvollkommenheiten der Alten, wie ein väterlich Auge
die Mängel seiner Kinder, an.

> Strabonem
> Appellat Paetum pater, et Pullum, male parvus
> Si cui filius est.   *Horat.*[13]

Wären es Nachlässigkeiten von der Art, welche die Alten
»Parerga« nenneten, und dergleichen man wünschte, daß
Protogenes in seinem Ialysos begangen hätte, wo der große
Fleiß des Malers an ein Rebhuhn den ersten Blick auf sich
zog, zum Nachteil der Hauptfigur[14], so wären sie wie ge-
wisse Nachlässigkeiten an dem Frauenzimmer, welche zieren.
Weit sicherer wäre es gewesen, den Diomedes des Dioskuri-
des gar nicht anzuführen; der Verfasser aber, der diesen
Stein gar zu wohl zu kennen scheinet, wollte sich gleich anfänglich wider alle Einwendungen über die Fehler der alten
Künstler verwahren, und da er glauben können, wenn man
ihm in einer der berühmtesten und schönsten Arbeiten der
Griechen, wie der Diomedes ist, Fehler zeigen würde, daß
dieses zugleich wenigstens ein Vorurteil wider geringere
Werke der Künstler dieser Nation geben können, so suchte er
eine ganz leichte Abfertigung, und meinete alle Fehler unter
dem glimpflichen Ausdruck der Nachlässigkeiten zu bedecken.

Wie! wenn ich zeige, daß Dioskurides weder Perspektiv
noch die gemeinsten Regeln der Bewegung des menschlichen
Körpers verstanden, ja sogar wider die Möglichkeit gehandelt habe? Ich werde es wagen; aber

> incedo per ignes
> Suppositos cineri doloso   *Hor.*[15]

und ich würde vielleicht nicht zuerst Fehler in diesem Steine
entdecken, aber mir ist gänzlich unbekannt, daß jemand dieselben schriftlich mitgeteilet habe.

Der Diomedes des Dioskurides ist eine Figur, die entweder sitzet, oder die sich von dem Sitze heben will; denn
die Aktion desselben ist zweideutig. Er sitzet aber nicht;
welches offenbar ist: er kann sich aber auch nicht heben;
welches in der Aktion, die er macht, nicht geschehen kann.

Die Bemühung die unser Körper anwendet, von einem
Sitze aufzustehen, geschiehet den Regeln der Mechanik zufolge, nach den Mittelpunkt der Schwere zu, welchen der
Körper sucht. Diesen suchet der sich hebende Körper zu erhalten, wenn er die im Sitzen vorwärtsgelegten Beine nach
sich ziehet; und auf unserm Steine ist hingegen das rechte
Bein gestreckt. Die Bemühung sich zu erheben fängt sich an
mit aufgehobenen Fersen, und die Schwere ruhet in diesem
Augenblicke nur auf den Zehen; welches Felix in seinem
geschnittenen Diomedes beobachtet hat: hier hingegen ruhet
die ganze Fußsohle.

In einer sitzenden Stellung, in welcher Diomedes ist, mit
dem untergeschlagenen linken Beine, kann der Körper, wenn
er sich erheben will, den Mittelpunkt seiner Schwere nicht
bloß durch das Zurückziehen der Beine finden; folglich sich
unmöglich durch diese Bewegung, die er sich gibt, allein
heben. Diomedes hat in der linken Hand, welche auf dem
untergeschlagenen Beine ruhet, das geraubte Palladium, und
in der rechten Hand ein kurzes Schwert, dessen Spitze nachlässig auf dem Postamente liegt. Des Diomedes Körper
äußert also weder die erste und natürliche Bewegung der
Füße, die zu einer jeden ungezwungenen Aufrichtung eines
Sitzenden notwendig ist, noch auch die Kraft der stützenden
Arme, die in einer ungewöhnlichen Lage des Sitzens zum
Heben erfordert wird; folglich kann sich Diomedes nicht
heben.

Zu gleicher Zeit ist die Figur in dieser Aktion betrachtet,
ein Fehler wider die Perspektiv begangen.

Der Fuß des linken untergeschlagenen Beins berühret das
Gesims des Postaments, welches über die Grundfläche, wor-
auf es selbst und der vordere ausgestreckte Fuß ruhet, her-
vorraget; folglich ist die Linie, die der hintere Fuß beschreiben würde, auf dem Steine die vördere, und diejenige, welche der vordere Fuß macht, die hintere.

Wäre auch diese Stellung möglich, so ist sie wider den
Charakter in den meisten Werken der griechischen Künstler,
als welche allezeit das Natürliche, das Ungezwungene gesucht
haben, welches niemand in einer so gewaltsamen Verdrehung
des Diomedes finden kann.

Ein jeder der sich bemühen wird, diese Stellung im Sitzen
möglich zu machen, wird dieselbe beinahe unmöglich finden.
Könnte man aber dieselbe durch Mühe endlich erhalten,
ohne sich aus vorhergegangenen Sitzen in dieselbe zu setzen,
so wäre sie dennoch wider alle Wahrscheinlichkeit: denn
welcher Mensch wird sich mit Fleiß in einem so peinlichen
Stande die äußerste Gewalt antun?

Felix, welcher vermutlich nach dem Dioskurides gelebet,
hat zwar seinen Diomedes in der Aktion gelassen, welche
sein Vorgänger demselben gegeben hat, aber er suchte das
Gezwungene derselben wo nicht zu heben, doch wenigstens
erträglicher vorzustellen durch die dem Diomedes gegen-
übergestellte Figur des Ulysses, welcher, wie man sagt, die
Ehre des geraubten Palladii dem Diomedes nehmen, und
ihm dasselbe hinterlistigerweise entreißen wollen. Diomedes
setzt sich also zur Gegenwehr und durch die Heftigkeit,
welche der Held äußert, bekommt dessen Stellung einige
mehrere Wahrscheinlichkeit.

Eine sitzende Figur kann Diomedes ebensowenig sein,
welches der freie und ungedruckte Kontur der Teile des Ge-
säßes und des Schenkels zeigt: es könnte auch der Fuß des
untergeschlagenen entfernteren Beins nicht sichtbar sein; zu
geschweigen, daß ebendieses Bein mehr aufwärts gebogen
stehen müßte.

Der Diomedes beim Mariette ist vollends wider alle Möglichkeit: denn das linke Bein ist wie ein zugelegtes Taschenmesser untergeschlagen, und der Fuß, welcher nicht sichtbar ist, hebt sich so hoch, daß er nirgend auf etwas ruhen kann.

Kann man dergleichen Fehler mit dem Titel der Nachlässigkeiten entschuldigen, und würde man sie in den Werken neuerer Meister mit solchem Glimpfe übergehen?

Dioskurides hat sich in der Tat in dieser seiner berühmten Arbeit nur als einen Kopisten des Polyklets gezeigt. Man glaubt, dieser sei ebender Polyklet, dessen Doryphoros den griechischen Künstlern die höchste Regel in menschlichen Verhältnissen gewesen. Sein Diomedes war also vermutlich das Urbild des Dioskurides; und dieser hat einen Fehler vermieden, den jener begangen hatte. Das Postament, über welches der Diomedes des Polyklets schwebet, ist wider die bekanntesten Regeln der Perspektiv gearbeitet. Das untere und das obere Gesims desselben machen zwo ganz verschiedene Linien, da sie doch aus einem Punkte fortlaufen sollten.

Mich wundert, daß Perrault nicht auch aus geschnittenen Steinen Beweise zur Behauptung der Vorzüge der neueren Künstler über die Alten genommen hat[16]. Ich glaube, es werde dem Verfasser und dessen Schrift nicht nachteilig sein, wenn ich, außer meinen Erinnerungen, auch den Quellen nachspüre, woher er einige von besonderen Stellen und Nachrichten genommen hat.

Von der Speise, welche den jungen Ringern unter den Griechen der ältesten Zeiten vorgeschrieben gewesen, redet Pausanias. Ist dieses ebender Ort, den man in der Schrift vor Augen gehabt hat, warum ist hier Milchspeise überhaupt angegeben, da der griechische Text von weichen Käse redet? Dromeus von Stymphalos hat an dessen Stelle das Fleischessen aufgebracht, wie ebendaselbst gemeldet wird.

Mit der Nachforschung über das große Geheimnis der Griechen, aus blauen Augen schwarze zu machen, hat es mir nicht gelingen wollen. Ich finde nur einen einzigen Ort, und diesen beim Dioskurides, der von dieser Kunst sehr nachlässig, und nur wie im Vorbeigehen redet. Hier wäre der

Ort gewesen, wo der Verfasser seine Schrift merkwürdiger
machen können, als vielleicht durch seinen neuen Weg in
Marmor zu arbeiten. Newton und Algarotti würden hier
den Weisen mehr Aufgaben und den Schönen mehr Reizungen vorlegen können. Diese Kunst würde von den deutschen
Schönen höher geschätzt werden, als von den griechischen,
bei denen große und schöne blaue Augen seltener, als die
schwarzen gewesen zu sein scheinen.

Grüne Augen waren zu einer gewissen Zeit Mode.

Et si bel oeil vert et riant et clair[17]
Le Sire de Coucy Chanson

ich weiß nicht, ob die Kunst einigen Anteil an der Farbe
derselben gehabt hat.

Über die Blattergruben würden auch ein paar Worte aus
dem Hippokrates zu reden sein, wenn man sich in Wort-
erklärungen einzulassen gesonnen wäre.

Ich bin im übrigen der Meinung, die Verstellung, die ein
Gesicht durch Blattern leidet, verursache einem Körper keine
so große Unvollkommenheit, als diejenige war, die man an
den Atheniensern bemerken wollen. So wohlgebildet ihr Gesicht war, so armselig war ihr Körper an dem Hinterteile.
Die Sparsamkeit der Natur an diesen Teilen war wie der
Überfluß derselben bei den Enotoceten in Indien, die so
große Ohren sollen gehabt haben, daß sie sich derselben anstatt der Küssen bedienet.

Überhaupt glaube ich, unsere Künstler würden vielleicht
ebenso gute Gelegenheit haben können, das schönste Nak-
kende zu studieren, wie in den Gymnasien der Alten geschehen. Warum nutzen sie diejenige nicht, die man den
Künstlern in Paris vorschlägt, in heißen Sommertagen längst
den Ufern der Seine, um die Zeit, da man sich zu baden
pfleget, zu gehen, wo man das Nackende von sechs bis zu
funfzig Jahren wählen kann? Nach solchen Betrachtungen
hat Michelangelo in seinem berühmten Karton von dem
Kriege von Pisa vermutlich die Figuren der Soldaten ent-

worfen, die sich in einem Flusse baden, und über dem Schall
einer Trompete aus dem Wasser springen, zu ihren Kleidern
eilen, und dieselben über sich werfen.

Einer von den anstößigsten Orten in der Schrift ist ohne
Zweifel derjenige, wo zu Ende der zehenten Seite die neueren Bildhauer gar zu tief unter die griechischen herunter-
gesetzt werden. Die neueren Zeiten haben im Starken und
Männlichen mehr als einen Glykon, und im Zärtlichen, Jugendlichen und Weiblichen mehr als einen Praxiteles[18] aufzuweisen. Michelangelo, Algardi und Schlüter, dessen Meisterstücke Berlin zieren, haben muskulöse Körper, und

– invicti membra Glyconis
Hor.[19]

so erhaben und männlich als Glykon selbst gearbeitet; und
im Zärtlichen könnte man beinahe behaupten, daß Bernini,
Fiammingo, Legros, Rauchmüller und Donner die Griechen
selbst übertroffen haben.

Unsere Künstler kommen darin überein, daß die alten
Bildhauer nicht verstanden, schöne Kinder zu arbeiten, und
ich glaube, sie würden zur Nachahmung viel lieber einen
Cupido vom Fiammingo als vom Praxiteles selbst wählen.
Die bekannte Erzählung von einem Cupido, den Michelangelo gemacht, und den er neben einen Cupido eines alten
Meisters gestellet, um unsere Zeiten dadurch zu lehren, wie
vorzüglich die Kunst der Alten sei, beweiset hier nichts:
denn Kinder von Michelangelo werden uns niemals einen so
nahen Weg führen als es die Natur selbst tut.

Ich glaube, es sei nicht zuviel gesagt, wenn man behauptet,
Fiammingo habe als ein neuer Prometheus Geschöpfe gebildet, dergleichen die Kunst wenige vor ihn gesehen hat.
Wenn man von den mehresten Figuren von Kindern auf
geschnittenen Steinen, und auf erhobenen Arbeiten der Alten, auf die Kunst überhaupt schließen darf, so wünschte
man ihren Kindern mehr Kindisches, weniger ausgewachsene
Formen, mehr Milchfleisch und weniger angedeutete Kno-

chen. Ebendergleichen Bildung haben Raffaels Kinder und
der ersten großen Maler bis auf die Zeiten, da Frans Du-
quesnoy, genannt Fiammingo erschien, dessen Kinder, weil
er ihnen mehr Unschuld und Natur gegeben, den Künstlern
nach ihm ebendasjenige geworden, was Apollo und Antinous
demselben im Jugendlichen sind. Algardi, der zu gleicher
Zeit gelebet, ist dem Fiammingo in Figuren von Kindern an
die Seite zu setzen. Ihre Modelle in Ton sind unsern Künstlern schätzbarer als der Alten ihre Kinder in Marmor; und
ein Künstler, den ich namentlich anzuführen mich nicht schä-
men dürfte[20], hat mich versichert, daß in sieben Jahren, so-
lange er in der Akademie der Künstler zu Wien studieret,
er niemand wisse, der nach einem dasigen antiken Cupido
gezeichnet habe.

Ich weiß auch nicht, was es vor ein Begriff von einer schönen Form bei den griechischen Künstlern gewesen, die Stirn
an Kindern und jungen Leuten mit herunterhängenden Haaren zu bedecken. Ein Cupido vom Praxiteles, ein Patroklos
auf einem Gemälde beim Philostrates war also vorgestellet;
und Antinous erscheinet weder in Statuen und Brustbildern,
noch auf geschnittenen Steinen und auf Münzen anders: und
vielleicht verursacht dergleichen Stirn dem Liebling des
Hadrians die trübe und etwas melancholische Miene, welche
man an dessen Köpfen bemerket.

Gibt eine offene und freie Stirn einem Gesichte nicht mehr
Edeles und Erhabenes? und scheinet Bernini das Schöne in
der Form nicht besser gekannt zu haben, als die Alten, da er
dem damals jungen Könige in Frankreich Ludwig XIV. dessen Brustbild er in Marmor arbeitete, die Haarlocken aus
der Stirn rückte, welche dieser Prinz vorher bis auf die
Augenbraunen herunterhängend getragen? »Euer Majestät,«
sagte der Künstler, »ist König, und kann die Stirn der ganzen Welt zeigen.« Der König und der ganze Hof trugen die
Haare von der Zeit an, so wie es Bernini gut gefunden hatte.

Ebendieses großen Künstlers Urteil über die erhobene Arbeit an dem Monumente Papst Alexanders VI. kann Anlaß

geben, über dergleichen Arbeit der Alten eine Anmerkung zu machen. »Die Kunst der erhobenen Arbeit bestehet darin,« sagte er, »zu machen, daß dasjenige, was nicht erhoben ist, erhoben scheine. Die fast ganz erhobenen Figuren am gedachten Monumente« pflegte er zu sagen, »schienen, was sie wären, und schienen nicht, was sie nicht wären.«

Erhobene Arbeiten sind von den ersten Erfindern angebracht worden an Orten, welche man mit historischen oder allegorischen Bildern zieren wollte, wo aber ein Gruppo von freistehenden Statuen, auch in Absicht des Gesimses, weder Platz noch ein bequemes Verhältnis fand. Ein Gesims dienet nicht sowohl zur zierlichen Bekleidung, als vielmehr zur Verwahrung und Beschützung desjenigen Teils eines Werks und Gebäudes, woran es stehet. Die Vorlage desselben sei allezeit dem Nutzen gemäß, den es leisten soll, nämlich Wetter, und Regengüsse, und andere gewaltsame Beschädigungen von den Hauptteilen abzuhalten. Hieraus folget, daß erhobene Arbeiten über die Bekleidung des Orts, welchen sie zieren, als dessen zufälliges Teil sie selbst nur sind, nicht hervorspringen sollen, indem es sowohl dem natürlichen Endzwecke eines Gesimses entgegen, als für die erhobenen Figuren selbst gefährlich sein würde.

Die mehresten erhobenen Arbeiten der Alten sind beinahe ganz freistehende Figuren, deren völliger Umriß unterarbeitet ist. Nun sind aber erhobene Arbeiten erlogene Bilder, und zufolge der Absicht ihrer Erfindung, nicht die Bilder selbst, sondern nur eine Vorstellung derselben; und die Kunst in der Malerei sowohl, als in der Poesie bestehet in der Nachahmung. Alles, was durch dieselbe wirklich und körperlich nach seiner Maße also würde hervorgebracht werden, wie es in der Natur erscheinet, ist wider das Wesen der Kunst. Sie soll machen, daß das, was nicht erhaben ist, erhaben, und was erhaben ist, nicht erhaben scheine.

Aus diesem Grunde sind ganz hervorliegende Figuren in erhobenen Arbeiten ebenso anzusehen, als feste und wirklich aufgeführte Säulen unter den Verzierungen eines Theaters, welche bloß wie ein angenehmes Blendwerk der Kunst als solche unserem Auge erscheinen sollten. Die Kunst erhält hier, so wie jemand von der Tragödie gesagt hat, mehr Wahrheit durch den Betrug, und Unwahrheit durch Wahrheit. Die Kunst ist es, welche macht, daß oft eine Kopie mehr reizt, als die Natur selbst. Ein natürlicher Garten, und lebendige Bäume auf der Szene eines Theaters machen kein so angenehmes Schauspiel, als wenn dergleichen durch Künstlerhände glücklich dargestellet werden. Wir finden mehr zu bewundern an einer Rose von van Huysum, oder an einer Pappel von Veerendael, als an denen, die der geschickteste Gärtner gezogen hat. Eine entzückende Landschaft in der Natur, ja das glückselige thessalische Tempe selbst wird vielleicht nicht die Würkung auf uns machen, die Geist und Sinne bei Betrachtung ebendieser Gegend durch den reizenden Pinsel eines Dietrichs erhalten müssen.

Auf diese Erfahrungen kann sich unser Urteil über die erhobenen Arbeiten der Alten gründen. Die zahlreiche Sammlung der Königlichen Altertümer in Dresden enthält zwei vorzügliche Werke von dieser Art. Das eine ist eine Bacchanale an einem Grabmale: das andere ist ein Opfer des Priapos an einem großen marmornen Gefäße.

Es ist ein absonderliches Teil der Kunst eines Bildhauers, erhobene Werke zu arbeiten: nicht ein jeder großer Bildhauer ist hierin glücklich gewesen. Mattielli kann hier als ein Beispiel dienen. Es wurden auf Befehl Kaiser Karls VI. von den geschicktesten Künstlern Modelle verfertiget zu dergleichen Arbeiten auf die beiden Spiralsäulen an der Kirche des hl. Caroli Borromäi. Mattielli, der allbereits einen großen Ruf erlanget hatte, war einer der vornehmsten, die hierbei in Betrachtung gezogen wurden: allein seine Arbeit war nicht diejenige, welche den Preis erhielt. Die gar zu erhabene Figuren seines Modells beraubten ihn der Ehre eines so wichtigen Werks aus dem Grunde, weil die Masse des Steins durch die großen Tiefen würde verringert und die Säulen geschwächt worden sein. Mader heißt der Künstler, dessen

Modelle vor seiner Mitwerber ihren den größten Beifall fanden, und die er an den Säulen selbst unvergleichlich ausgeführt hat. Es ist bekannt, daß es eine Vorstellung des Heiligen ist, dem die Kirche geweihet worden.

Überhaupt ist bei dieser Arbeit zu merken: Erstlich; daß nicht eine jede Aktion und Stellung zu derselben bequem sei, dergleichen sind allzu starke Verkürzungen, welche daher vermieden werden müssen. Zum andern: daß nachdem die einzelne modellierte Figuren wohl ordonniert und gruppiert worden, der Durchmesser einer jeden derselben in der Tiefe, nach einem verjüngten Maßstabe zu den Figuren der erhobenen Arbeit selbst genommen werde, also, daß wenn zum Exempel der Durchmesser einer Figur einen Fuß gehalten, die Maß des Profils ebenderselben Figur, nachdem sie halb oder weniger erhoben gearbeitet werden soll, in drei Zoll oder weniger gebracht werde; mit dieser notwendigen Beobachtung, daß die Profile perspektivisch nicht allein gestellet, sondern in ihrer gehörigen Degradation verjünget werden müssen. Je mehr Rundung der flach gehaltene Durchmesser einer Figur gibt, desto größer ist die Kunst. Insgemein fehlet es der erhobenen Arbeit an der Perspektiv; und wo Werke von dieser Art keinen Beifall gefunden, ist es meistenteils aus diesem Grunde geschehen.

Da ich nur eine kleine Anmerkung über die erhobene Arbeiten der Alten zu machen gedachte, merke ich, daß ich, wie jener alte Redner, beinahe jemand nötig hätte, der mich wiederum in den Ton brächte. Ich bin über meine Grenzen gegangen; und mich deucht, es sei eine gewisse Beobachtung unter Skribenten, in Absicht der Erinnerungen über eine Schrift: keine zu machen, als über ausdrücklich in der Schrift befindliche bedenkliche Punkte. Zugleich erinnere ich mich, daß ich einen Brief und kein Buch schreiben will: es fällt mir auch zuweilen ein, daß ich für mich selbst einen Unterricht ziehen könnte.

– – ut vineta egomet caedam mea

Hor.[21]

aus dem Ungestüm gewisser Leute wider den Verfasser, die
nicht zugeben wollen, daß man eins und das andere schreibe
über Dinge, wozu sie gedungen worden.

Die Römer hatten ihren Gott Terminus, der die Aufsicht
über die Grenzen und Marksteine überhaupt, und, wenn es
diesen Herren gefällt, auch über die Grenzen in Künsten und
Wissenschaften hatte. Gleichwohl urteilten Griechen und Römer über Werke der Kunst, die keine Künstler waren, und
ihr Urteil scheinet auch unsern Künstlern gültig. Ich finde
auch nicht, daß der Küster in dem Tempel des Friedens zu
Rom, der das Register über den Schatz von Gemälden der
berühmtesten griechischen Meister, die daselbst aufgehänget
waren, haben mochte, sich ein Monopolium der Gedanken
über dieselbe angemaßet, da Plinius die Gemälde mehrenteils
beschrieben[22],

> publica materies privati iuris sit –
>   *Hor.*[23]

Es wäre zu wünschen, daß Künstler selbst nach dem Beispiel eines Pamphilos und eines Apelles die Feder ergreifen,
und die Geheimnisse der Kunst denenjenigen, welche dieselben zu nutzen verstehen, entdecken möchten.

> Ma di costor, che à lavorar s'accingono
> Quattro quinti, per Dio, non sanno leggere[24]
>   *Salvatore Rosa. Sat. III.*

Zween oder drei haben sich hier verdient gemacht; die übrigen Skribenten unter ihnen haben uns nur historische Nachrichten von ihren Mitbrüdern erteilet. Aber von der Arbeit,
welche der berühmte Pietro da Cortona und der Pater Otton-
nelli mit vereinigten Kräften angegriffen haben, hätte man
sich einen großen Unterricht auch für die späte Nachwelt
der Künstler versprechen können. Ihre Schrift ist unterdessen, außer den historischen Nachrichten, die man in hundert
Büchern besser finden kann, fast zu nichts weiter nützlich, als

> ne scombris tunicae desint piperique cuculli[25].
>   *Sectani Sat.*

Wie gemein und niedrig sind die Betrachtungen über die Malerei von dem großen Nicolas Poussin, welche Bellori aus einer Handschrift als etwas Seltenes mitteilet, und dem Leben dieses Künstlers beigefüget hat?

Der Verfasser hat ohnzweifel nicht für Künstler schreiben wollen; sie würden auch viel zu großmütig sein, als daß sie über eine so kleine Schrift einen Aristarchos vorstellen wollten. Ich erinnere dem Verfasser nur einige Kleinigkeiten, die ich einigermaßen einzusehen imstande bin; und ich werde es noch mit einigen wenigen Bedenken wagen.

Auf der eilften Seite hat man sich unterstanden, ein Urteil des Bernini vor ungegründet zu erklären, und wider einen Mann aufzutreten, den man eine Schrift zu beehren nur hätte nennen dürfen. Bernini war der Mann, der in ebendem Alter, in welchem Michelangelo die berühmte Kopie eines Kopfs vom Pan, die man insgemein Studiolo nennet, gearbeitet hat, das ist, im achtzehnden Jahre seines Alters eine Daphne machte, wo er gezeiget, daß er die Schönheiten der Werke der Griechen kennenlernen, in einem Alter, wo vielleicht noch Dunkelheit und Finsternis beim Raffael war.

Bernini war einer von den glücklichen Köpfen, die zu gleicher Zeit Blüten des Frühlings, und Früchte des Herbsts zeigen, und ich glaube nicht, daß man erweisen könne, daß sein Studium der Natur, woran er sich in reifern Jahren gehalten, weder ihn selbst, noch seine Schüler durch ihn übel geführt. Die Weichlichkeit seines Fleisches war die Frucht dieses Studii, und hat den höchsten Grad des Lebens und der Schönheit, zu welchen der Marmor zu erheben ist. Die Nachahmung der Natur gibt den Figuren des Künstlers Leben, und belebt Formen, wie Sokrates sagt, und Kleiton der Bildhauer stimmet ihm bei. »Die Natur selbst ist nachzuahmen, kein Künstler«; gab Lysippos der große Bildhauer zur Antwort, da man ihn fragte, wem er unter seinen Vorgängern folgete? Man wird nicht leugnen können, daß die eifrige Nachahmung der Alten mehrenteils ein Weg zur Trockenheit

werden kann, zu welcher die Nachahmung der Natur nicht
leicht verleiten wird. Diese lehret Mannigfaltigkeit, wie sie
selbst mannigfaltig ist, und die öftere Wiederholung wird
Künstlern, welche die Natur studieret haben, nicht können
vorgeworfen werden. Guido, Lebrun und einige andere,
welche das Antike vornehmlich studieret, haben einerlei Ge-
sichtszüge in vielen Werken wiederholet. Eine gewisse Idee
von Schönheit war ihnen dermaßen eigen geworden, daß sie
dieselbe ihren Figuren gaben, ohne es zu wollen.

Was aber die bloße Nachahmung der Natur mit Hint-
ansetzung des Antiken betrifft, so bin ich völlig der Meinung des Verfassers: aber zu Beispielen von Naturalisten in
der Malerei würde ich andere Meister gewählet haben. Dem
großen Jordaens ist gewiß zu viel geschehen. Mein Urteil
soll hier nicht allein gelten; ich berufe mich auf dasjenige,
welches wie die übrigen Urteile von Malern wenige verwer-
fen werden. »Jacob Jordaens« sagt ein Kenner der Kunst,
»hat mehr Ausdruck und Wahrheit als Rubens«.

»Die Wahrheit ist der Grund und die Ursach der Vollkommenheit und der Schönheit; eine Sache, was vor was vor
Natur sie auch ist, kann nicht schön und vollkommen sein,
wenn sie nicht wahrhaftig ist, alles was sie sein muß, und
wenn sie nicht alles das hat, was sie haben muß«.

Die Richtigkeit des obigen Urteils vorausgesetzt, so wird
nach dem Begriff von der Wahrheit in einer berühmten
Originalschrift[26], Jordaens mit mehrern Recht unter die größten Originale, als unter die Affen der gemeinen Natur zu
setzen sein. Ich würde hier an die Stelle dieses großen
Künstlers einen Rembrandt, und für den Stella einen Raoux
oder einen Watteau gesetzt haben; und alle diese Maler tun
nichts anders, als was Euripides zu seiner Zeit getan hat; sie
stellen die Menschen vor, wie sie sind. In der Kunst ist nichts
klein und geringe; und vielleicht ist auch aus den sogenannten holländischen Formen und Figuren ein Vorteil zu ziehen,
so wie Bernini die Karikaturen genutzet hat. Dergleichen
übertriebenen Figuren hat er, wie man versichert, eins der

größten Stücke der Kunst zu danken gehabt, nämlich die Freiheit seiner Hand; und seitdem ich dieses gelesen, habe ich angefangen etwas anders zu denken über die Karikaturen, und ich glaube, man habe einen großen Schritt in der Kunst gemacht, wenn man eine Fertigkeit in denselben erlanget hat. Der Verfasser gibt es als einen Vorzug bei den Künstlern des Altertums an, daß sie über die Grenzen der gemeinen Natur gegangen sind: tun unsere Meister in Karikaturen nicht ebendieses? und niemand bewundert sie. Es sind vor einiger Zeit große Bände von solcher Arbeit unter uns ans Licht getreten, und wenig Künstler achten dieselben ihres Anblicks würdig.

Über die vierzehende Seite werde ich dem Verfasser ein Urteil unserer Akademien vorlegen. Er behauptet mit dem Tone eines Gesetzgebers, »die Richtigkeit des Konturs müsse allein von den Griechen erlernet werden«. In unseren Akademien wird insgemein gelehret, daß die Alten von der Wahrheit des Umrisses einiger Teile des Körpers wirklich abgegangen sind, und daß an den Schlüsselbeinen, am Ellenbogen, am Schienbeine, an den Knien, und wo sonst große Knorpel liegen, die Haut nur über die Knochen gezogen scheinet, ohne wahrhaftig deutliche Anzeigung der Tiefen und Höhlungen, welche die Apophyses und Knorpel an den Gelenken machen. Man weiset junge Leute an, solche Teile, wo unter der Haut nicht viel Fleischiges lieget, eckigter zu zeichnen; und ebenso im Gegenteil, wo sich das meiste Fett ansetzet. Man hält es ordentlich vor einen Fehler, wenn der Umriß gar zu sehr nach dem alten Geschmacke ist. Ganze Akademien in corpore, die also lehren, werden doch, hoffe ich, nicht irren können.

Parrhasios selbst, »der Größte im Kontur«, hat »die Linie, welche das Völlige von dem Überflüssigen scheidet,« nicht zu treffen gewußt: Er ist, wie man berichtet, da er die Schwulst vermeiden wollen, in das Magere verfallen. Und Zeuxis hat vielleicht seinen Kontur wie Rubens gehalten, wenn es wahr ist, daß er völligere Teile gezeichnet, um seine

Figuren ansehnlicher und vollkommner zu machen. Seine
weiblichen Figuren hat er nach Homers Begriffen gebildet,
dessen Weiber von starker Statur sind. Der zärtliche Theokrit selbst malet seine Helena fleischigt und groß, und Raffaels Venus in der Versammlung der Götter des kleinen
Farnesischen Palastes in Rom, ist nach gleichförmigen Ideen
einer weiblichen Schönheit entworfen. Rubens hat also wie
Homer und wie Theokrit gemalet: was kann man mehr zu
seiner Verteidigung sagen?

Der Charakter des Raffaels in der Schrift ist richtig und
wahr entworfen: aber würde nicht ebendas, was Antalkidas
der Spartaner einem Sophisten sagte, der eine Lobrede auf
den Herkules ablesen wollte, auch hier gelten? »Wer tadelt
ihn«, sagte er. Was die Schönheiten betrifft, die man in dem
Raffael der Königlichen Galerie zu Dresden, und insbesondere an dem Kinde auf den Armen der Madonna finden
wollen, so urteilet man sehr verschieden darüber.

῍Ο σὺ θαυμάζεις, τοῦθ' ἑτέροισι γέλως[27].
Lukian. Epigr. I.

Der Verfasser hätte ebenso rühmlich die Person eines Patrio-
ten annehmen können wider einige jenseit der Alpen, denen
alles, was niederländisch ist, Ekel macht:

Turpis Romano Belgicus ore color.
Propert. L. II. Eleg. 8[28].

Ist nicht die Zauberei der Farben etwas so Wesentliches, daß
kein Gemälde ohne dieselbe allgemein gefällt, und daß durch
dieselbe viel Fehler teils übergangen, teils gar nicht ange-
merket werden? Diese machet nebst der großen Wissenschaft
in Licht und Schatten den Wert der niederländischen Stücke.
Sie ist dasjenige in der Malerei, was der Wohlklang und die
Harmonie der Verse in einem Gedichte sind. Durch diese
Zauberei der dichterischen Farben verschwinden dessen Ver-
gehungen, und derjenige, welcher ihn mit dem Feuer, worin
er gedichtet, lesen kann, wird durch die göttliche Harmonie

in solche Entzückung mit fortgerissen, daß er nicht Zeit hat an das, was anstößig ist, zu gedenken.

Bei Betrachtung eines Gemäldes ist etwas, was vorangehen muß; dieses ist die Belustigung der Augen, sagt jemand; und diese bestehet in den ersten Reizungen, anstatt daß dasjenige, was den Verstand rühret, allererst aus der Überlegung folget. Die Kolorit ist überdem allein Gemälden eigen; Zeichnung suchet man in jedem Entwurfe, in Kupferstichen und dergleichen; und diese scheinet in der Tat eher als jene von Künstlern erlanget zu sein. Ein großer Skribent in der Kunst will auch bemerkt haben, daß die Koloristen viel später als die dichterischen Maler in Ruf gekommen sind. Kenner wissen, wie weit es dem berühmten Poussin in der Kolorit gelungen ist; und alle diejenigen,

> qui rem Romanam Latiumque augescere student[29].
> *Ennius.*

werden hier die niederländischen Maler vor ihre Meister erkennen müssen. Ein Maler ist ja eigentlich nichts anders, als ein Affe der Natur, und je glücklicher er diese nachäffet, desto vollkommener ist er.

> Ast heic, quem nunc tu tam turpiter increpuisti[30].
> *Ennius*

Der zärtliche van der Werff, dessen Arbeiten mit Golde aufgewogen werden, und nur allein die Kabinette der Großen in der Welt zieren, hat sie für jeden welschen Pinsel unnachahmlich gemacht. Es sind Stücke, welche die Augen der Unwissenden, der Liebhaber und der Kenner auf sich ziehen. »Ein jeder Poet, welcher gefällt«, sagt der kritische englische Dichter, »hat niemals übel geschrieben«[31], und wenn der niederländische Maler dieses erhält, so ist sein Beifall allgemeiner, als derjenige, den die richtigste Zeichnung von Poussin hoffen kann.

Man zeige mir viel Gemälde von Erfindung, Komposition und Kolorit, wie einige von Gerard de Lairesses Hand sind.

Alle unparteiische Künstler in Paris, die das allervorzüglichste, und ohne Zweifel das erste Stück in dem Kabinett der Schildereien des Herrn de la Boixières kennen, ich meine, die Stratonike[32], werden mir Beifall geben müssen.

Die Geschichte des Vorwurfs, welchen der Künstler hier ausgeführet, ist nicht die gemeinste. König Seleukos I. trat seine Gemahlin Stratonike, eine Tochter des berühmten Demetrios Poliorketes, seinem Sohne Antiochos ab, der aus heftiger Neigung gegen die Königin, als seine Stiefmutter, in eine gefährliche Krankheit gefallen war. Der Arzt Erasistratos fand nach langen Forschen die wahre Ursach derselben, und zur Genesung des Prinzen das einzige Mittel in der Gefälligkeit des Vaters gegen die Liebe seines Sohns. Der König begab sich seiner Gemahlin, und ernennete zu gleicher Zeit den Antiochos zum König der Morgenländer.

Lairesse hat ebendiese Geschichte zweimal gemalet: die Stratonike des Herrn Boixières ist das kleinere, die Figuren halten etwa anderthalb Fuß, und im Hinterwerke ist dieses verschieden von jenem.

Die Hauptperson des Gemäldes Stratonike ist die edelste Figur; eine Figur, die der Schule des Raffaels selbst Ehre machen könnte. Die schönste Königin,

colle sub Idaeo vincere digna deas
Ovid. Art.[33]

Sie nahet sich mit langsamen und zweifelhaften Schritten zu dem Bette ihres bestimmten neuen Gemahls; aber annoch mit Gebärden einer Mutter, oder vielmehr einer heiligen Vestale. In ihrem Gesichte, welches sich in dem schönsten Profil zeigt, lieset man Scham und zugleich eine gefällige Unterwerfung unter dem Befehl des Königs. Sie hat das Sanfte ihres Geschlechts, die Majestät einer Königin, die Ehrfurcht bei einer heiligen Handlung, und alle Weisheit in ihrem Betragen, die in einem so feinen und außerordentlichen Umstande, wie der gegenwärtige ist, erfordert wurde. Ihr Gewand ist meisterhaft geworfen, und es kann die

Künstler lehren, wie sie den Purpur der Alten malen sollen. Es ist nicht allgemein bekannt, daß der Purpur die Farbe von Weinblättern gehabt, wenn sie anfangen welk zu werden, und zu gleicher Zeit ins Rötliche fallen.

König Seleukos stehet hinter ihr in einer dunklen Kleidung, um die Hauptfigur noch mehr zu heben, und teils um die Stratonike nicht in Verwirrung zu setzen, teils um den Prinzen nicht beschämt zu machen, oder dessen Freude zu stören. Erwartung und Zufriedenheit schildern sich zu gleicher Zeit in seinem Gesichte, welches der Künstler nach dem Profil der besten Köpfe auf dessen Münzen genommen hat.

Der Prinz, ein schöner Jüngling, der auf seinem Bette halb nackend aufgerichtet sitzt, hat die Ähnlichkeit vom Vater und von seinen Münzen. Sein blasses Gesicht zeuget von dem Fieber, welches in seinen Adern gewütet, allein man glaubt schon den Anfang der Genesung zu spüren aus der wenigen aufsteigenden Röte, die nicht durch die Scham gewürkt worden.

Der Arzt und Priester Erasistratos, ehrwürdig wie des Homers Kalchas, welcher vor dem Bette stehet, ist die aus Vollmacht des Königs redende Person, und erkläret dem Prinzen den Willen des Königs; und indem er ihm mit der einen Hand die Königin zuführet, so überreicht er ihm mit der andern Hand das Diadem. Freude und Verwunderung wollen aus dem Gesichte des Prinzen bei Annäherung der Königin hervorbrechen,

> und jedem Blick von ihr wallt dessen Herz entgegen
> *Haller*[34]

die aber durch die Ehrfurcht in der edelsten Stille erhalten werden, so daß er gleichsam sein Glück mit gebeugten Haupte zu überdenken scheinet.

Alle Charakter, die der Künstler seinen handelnden Personen gegeben, sind mit solcher Weisheit ausgeteilet, daß ein jeder derselben dem andern Erhobenheit und Nachdruck zu geben scheinet.

Auf die Stratonike, als die Hauptperson fällt die größte
Masse des Lichts, und sie ziehet den ersten Blick auf sich.
Der Priester stehet im schwächern Lichte, er hebet sich aber
durch die Aktion, die man ihm gegeben: er ist der Redner,
und außer ihm regieret eine allgemeine Stille und Aufmerksamkeit. Der Prinz, welcher nach der Hauptfigur vornehmlich merkwürdig sein mußte, ist mehr beleuchtet; und da des
Künstlers Verstand zum vornehmsten Teil seines Gruppo
weislicher eine schöne Königin, als einen kranken Prinzen,
der es vermöge der Natur der Sachen hätte sein sollen, wäh-
lete, so ist dieser dennoch dem Ausdruck nach, das Vorzüglichste im ganzen Gemälde. Die größten Geheimnisse der
Kunst liegen in dessen Gesicht.

> Quales nequeo monstrare et sentio tantum.
> *Juvenal Sat. VII*[35].

Die Regungen der Seele, die miteinander zu streiten scheinen, fließen hier mit einer friedlichen Stille zusammen. Die
Genesung meldet sich in dem siechen Gesichte, so wie die
Ankündigung der ersten nahen Blicke der Morgenröte, die
unter dem Schleier der Nacht selbst den Tag, und einen
schönen Tag zu versprechen scheinet.

Der Verstand und der Geschmack des Künstlers breiten
sich durch sein ganzes Werk aus bis auf die Vasen, die nach
den besten Werken des Altertums in dieser Art, entworfen
sind. Das Tischgestell vor dem Bette hat er, wie Homer, von
Elfenbein gemacht.

Das Hinterwerk des Gemäldes stellet eine prächtige griechische Baukunst vor, deren Verzierungen auf die Handlung
selbst zu deuten scheinen. Das Gebälke an einem Portal tragen Karyatiden, die einander umfassen, als Bilder einer
zärtlichen Freundschaft zwischen Vater und Sohn, und zugleich einer ehelichen Verbindung.

Der Künstler zeigt sich bei aller Wahrheit seiner Geschichte, als einen Dichter, und er machte seine Nebenwerke
allegorisch, um gewisse Umstände durch Sinnbilder zu ma-

len. Die Sphinxe an dem Bette des Prinzen deuteten auf die Nachforschung des Arztes, und auf die besondere Entdeckung der Ursach von der Krankheit desselben.

Man hat mir erzählt, daß junge Künstler jenseits der Gebürge, die dieses Meisterstück gesehen, da ihnen der Arm des Prinzen, der etwa um eine Linie zu stark sein mag, ins Gesicht gefallen, vorbeigegangen, ohne nach den Vorwurf des Gemäldes selbst zu fragen. Wenn auch Minerva selbst gewissen Leuten, wie dem Diomedes, wollte den Nebel wegnehmen, so würden sie dennoch nicht erleuchtet werden.

> – – Pauci dignoscere possunt
> Vera bona atque illis multum diversa, remota
> Erroris nebula.
>
> *Juvenal. Sat.*[36]

Ich habe eine lange Episode gemacht; ich finde es aber gleichwohl billig, ein Werk, welches unter die ersten in der Welt kann gesetzet werden, da es so wenig Kenner gefunden, bekannt zu machen. Ich komme wieder auf die Schrift selbst.

Ich weiß nicht, ob dasjenige, was in Raffaels Figuren der Begriff einer »edlen Einfalt und stillen Größe« in sich fassen soll, nicht viel allgemeiner durch die sogenannte »Natur in Ruhe« von zwei namhaften Skribenten bezeichnet worden. Es ist wahr, diese große Lehre gibt ein vorzügliches Kennzeichen der schönsten griechischen Werke; aber die Anwendung derselben bei jungen Zeichnern ohne Unterschied, würde vielleicht ebenso besorgliche Folgen haben, als die Lehre einer körnigten Kürze in der Schreibart bei jungen Leuten, welche sie verleiten würde, trocken, hart und unfreundlich zu schreiben. »Bei jungen Leuten«, sagt Cicero, »muß allezeit etwas Überflüssiges sein, wovon man etwas abzunehmen finde: denn dasjenige, was gar zu schnell zur Reife gelanget ist, kann nicht lange Saft behalten. Von Weinstöcken sind die gar zu jungen Schößlinge eher abgeschnitten, als neue Reben gezogen, wenn der Stamm nichts

taugt«. Außerdem werden Figuren in einer ungerührten
Stille von dem größten Teile der Menschen angesehen werden, so wie man eine Rede lesen würde, welche ehemals vor
den Areopagiten gehalten worden, wo ein scharfes Gesetz
dem Redner alle Erregung auch der menschlichsten und sanf-
testen Leidenschaften untersagte; und alle dergleichen Bilder
werden Schildereien von jungen Spartanern vorzustellen
scheinen, die ihre Hände unter ihren Mantel verstecken, in
der größten Stille einhertreten, und ihr Augen nirgendwo-
hin, sondern vor sich auf die Erde richten mußten.

Über die Allegorie in der Malerei bin ich mit dem Verfasser auch nicht völlig einerlei Meinung. Durch die Anwendung derselben in allen Vorstellungen, und an allen Orten
würde in der Malerei ebendas geschehen, was der Meß-
kunst durch die Algebra widerfahren ist: der Zugang zur
einen Kunst würde so schwer werden, als er zur andern geworden ist. Es kann nicht fehlen, die Allegorie würde endlich aus allen Gemälden Hieroglyphen machen.

Die Griechen selbst haben nicht allgemein, wie uns der
Verfasser überreden will, ägyptisch gedacht. Der Plafond in
dem Tempel der Juno zu Samos war nicht gelehrter gemalet,
als die Farnesische Galerie. Es waren die Liebeshändel des
Jupiters und der Juno; und in dem Fronton eines Tempels
der Ceres zu Eleusis war nichts, als die bloße Vorstellung
einer Gewohnheit bei dem Dienste dieser Göttin. Es waren
zwei große Steine, die aufeinanderlagen, zwischen welchen
die Priester alle Jahr eine schriftliche Anweisung über die
jährlichen Opfer hervorsuchten; weil sie niemals ein Jahr
wie das andere waren.

Was die Vorstellung desjenigen, was nicht sinnlich ist, betrifft, so hätte ich mehr Erklärung davon gewünscht; weil
ich jemand sagen hören, es verhalte sich mit Abbildung solcher Dinge, wie mit dem mathematischen Punkte, der nur
gedacht werden kann; und er stimmet demjenigen bei, der
die Malerei auf Dinge, welche nur sichtbar sind, einzu-
schränken scheinet. Denn was die Hieroglyphen betrifft,

fuhr er fort, durch welche die abgesondersten Ideen angedeutet werden: als die Jugend durch die Zahl sechszehn; die
Unmöglichkeit durch zwei Füße auf dem Wasser; so müßte
man dieselben größtenteils mehr vor Monogrammen, als vor
Bilder halten. Eine solche Bildersprache würde Gelegenheit
geben zu neuen Chimären, und würde schwerer, als die chi-
nesische zu erlernen sein: die Gemälde aber würden den Gemälden dieser Nation nicht unähnlich werden.

Parrhasios, glaubt ebendieser Widersacher der Allegorien,
habe alle Widersprüche, die er bei den Atheniensern bemerket, ohne Hülfe der Allegorie vorstellen können; und vielleicht hätte er es in mehr als einem Stücke ausgeführet. Wenn
er es auf diese Art nimmt,

> et sapit, et mecum facit, et Iove iudicat aequo.
> *Hor.*[37]

Das Todesurteil über die Befehlshaber der atheniensischen
Flotte, nach ihrem Siege über die Lakedämonier, bei den
arginusischen Inseln, gab dem Künstler ein sehr sinnliches
und reiches Bild, die Athenienser gütig und zugleich grausam
vorzustellen.

Der berühmte Theramenes, einer von den Befehlshabern,
klagte seine Kollegen an, daß sie die Körper der in der
Schlacht Gebliebenen nicht gesammlet, und ihnen die letzte
Ehre erweisen lassen. Dieses war hinreichend, den größten
Teil des Volks in Wut zu setzen wider die Sieger, von welchen nur sechs nach Athen zurückkamen; die übrigen waren
dem Sturm ausgewichen. Theramenes hielt eine sehr rührende
Rede, in welcher er öftere Pausen machte, um die Klagen
derjenigen, die ihre Eltern oder Anverwandte verloren hatten, hören zu lassen. Er ließ zu gleicher Zeit einen Menschen
auftreten, welcher vorgab, die letzten Worte der Ertrunkenen
gehört zu haben, die um Rache geschrien wider ihre Befehlshaber. Sokrates der Weise, welcher damals ein Glied des
Rats war, erklärte sich nebst etlichen andern wider die An-
klage; aber vergebens: die tapferen Sieger wurden anstatt

der Ehrenbezeugungen, die sie hoffen konnten, zum Tode verurteilet. Einer unter ihnen war der einzige Sohn des Perikles von der berühmten Aspasia.

Parrhasios, der diese Begebenheit erlebet hat, war um so viel geschickter, durch die wahren Charakter der hier handelnden Personen seinem Bilde ohne Allegorie eine Deutung zu geben, die weiter, als auf die bloße Vorstellung einer Geschichte ging; als welche noch itzo einem Künstler bequem genug sein könnte, ebenden Widerspruch in dem Charakter der Athenienser zu schildern.

Und endlich, meinet ebenderselbe, komme dasjenige, was man Künstlern, und sonderlich Malern in Absicht der Allegorie aufzubürden sucht, auf ebendie Forderung hinaus, die Columella an einen Landmann macht. Er sähe gern, daß er ein Weltweiser wäre, wie Demokritos, Pythagoras und Eudoxos gewesen.

Kann man hoffen mit den Allegorien in Verzierungen glücklicher zu sein, als mit denen in Gemälden? Mich deucht, der Verfasser würde mehr Schwierigkeit finden, seine vermeinte gelehrte Bilder hier anzubringen, als Vergil fand, die Namen eines Vibius Caudex, eines Tanaquil Lucumo, oder eines Decius Mus in heroische Verse zu setzen[38].

Man sollte vermuten, das Muschelwerk würde in Verzierungen der Baukunst und sonst angebracht, nunmehro mit allgemeinen Beifall angenommen zu sein scheinen können. Ist denn weniger Natur in der Zierde, die dasselbe geben soll, als in den korinthischen Kapitälern, wenn man auf den bekannten vorgegebenen Ursprung derselben siehet? Ein Korb, den man auf das Grab eines jungen Mädchens von Korinth mit einigen Spielsachen von ihr angefüllet, gesetzt, und mit einem breiten Ziegel bedeckt hatte, gab Gelegenheit zu der Form dieses Kapitals. Es wuchs unter demselben die Pflanze Akanthus hervor, die denselben bekleidete. Der Bildhauer Kallimachos fand an diesem bewachsenen Korbe so viel Artiges, daß er das erste Kapital zu einer korinthischen Säule nach diesem Modelle arbeitete.

Dieses Kapital ist also ein Korb mit Blättern, und er soll das ganze Gebälke auf einer Säule tragen. Vielleicht fand man es zu Perikles Zeiten noch nicht der Natur und Vernunft gemäß genug, da es einem berühmten Skribenten fremde scheinet, daß man anstatt der korinthischen Säulen, dem Tempel der Minerva zu Athen dorische gegeben hat. Mit der Zeit wurde diese scheinbare Ungereimtheit zur Natur, und man gewöhnete sich einen Korb, auf dem ein ganzes Gebäude ruhete, nicht mehr als anstößig anzusehen;

> quodque fuit vitium, desinit esse mora.
> *Ovid. Art.*[39]

Unsere Künstler überschreiten ja keine in der Kunst vorgeschriebene Gesetze, wenn sie neue Zieraten, die allezeit willkürlich gewesen, erdenken: die Erfindung ist itzo mit keinen Strafgesetzen, wie bei den Ägyptern, beleget. Das Gewächs und die Form einer Muschel haben jederzeit etwas so Liebliches gehabt, daß Dichter und Künstler sogar ungewöhnlich große Muscheln erdacht, und dieselben der Göttin der Liebe zu einem Wagen zugegeben haben. Das Schild Ancile, welches bei den Römern ebendas, was in Troja das Palladium war, hatte Einschnitte in Form einer Muschel; und es sind sogar alte Lampen mit Muscheln gezieret.

Die so leicht und frei gelegten muschelförmigen Schilder scheinet die Natur selbst nach den wunderbaren Wendungen unendlich verschiedener Seeschnecken den Künstlern dargeboten zu haben.

Es ist meine Absicht im geringsten nicht, mich zu einen Sachwalter der ungeschickten Verzierer unserer Zeit aufzuwerfen: ich will nur diejenigen Gründe einer ganzen Zunft (die Künstler werden mir hier dieses Wort verzeihen) anführen, durch welche dieselbe die Gründlichkeit ihres Verfahrens darzutun gesucht haben; man wird hier Billigkeit genug finden.

Es wird erzählet, die Maler und Bildhauer in Paris hätten denenjenigen, welche Verzierungen arbeiten, den Namen der

Künstler streitig machen wollen, weil weder der Verstand
des Arbeiters noch des Liebhabers in ihren Werken eine Beschäftigung finde, indem sie nicht durch die Natur, sondern
durch eine gezwungene Kunst erzeuget worden. Ihre Verteidigung soll folgende gewesen sein.

Wir folgen der Natur in unserer Arbeit, und unsere Verzierungen bilden sich, wie die Rinde eines Baums, aus verschiedenen willkürlichen Einschnitten in dieselbe. Die Rinde
wächst in mancherlei Gestalten.

Alsdenn tritt die Kunst zur spielenden Natur, und ver-
bessert und hilft derselben. Dieses ist der Weg, den wir in
unsern Verzierungen nehmen und der Augenschein gibt, daß
die mehresten derselben, auch in den Werken der Alten, von
Bäumen, von Pflanzen, und deren Früchten und Blumen
genommen worden.

Die erste und allgemeine Regel ist also hier die Mannigfaltigkeit, (wenn man der angeführten Verteidigung Recht
will widerfahren lassen) und nach dieser würkt die Natur,
wie es scheinet, ohne Beobachtung anderer Regeln. Diese
Einsicht zeigte in den Verzierungen diejenige Art, welche
die heutigen Künstler gewählet haben. Sie lerneten erkennen, daß in der Natur nichts dem andern gleich ist; sie gingen von der ängstlichen Zwillingsform ab, und überließen
den Teilen ihrer Verzierungen, sich zusammenzufügen, so
wie Epikurs Atomen getan. Eine Nation, die sich in neuern
Zeiten von allem Zwange in der bürgerlichen Gesellschaft
zuerst frei gemacht, wurde auch in der Freiheit in diesem
Teile der Kunst unser Lehrer. Man gab dieser Art zu arbeiten die Benennung des Barockgeschmacks, vermutlich von
einem Worte, welches gebraucht wird bei Perlen und Zähnen,
die von ungleicher Größe sind.

Und endlich hat ja eine Muschel, glaube ich, eben ein so
gutes Recht, ein Teil der Zieraten zu sein, als es ein Ochsen-
oder Schafskopf hat. Es ist bekannt, daß die Alten dergleichen von der Haut entblößte Köpfe in die Friesen, sonderlich der dorischen Säulenordnung zwischen den Dreischlit-

zen, oder in die Metopen, gesetzt. Sie befinden sich sogar in einem korinthischen Fries eines alten Tempels der Vesta zu Tivoli: an Grabmälern: wie an einem Grabmale des Metellischen Geschlechts bei Rom, und einem Grabmale des Munatius Plancus bei Gaeta: an Vasen: wie an zwei derselben, unter den Königlichen Altertümern in Dresden. Einige neuere Baumeister, die diese Köpfe vielleicht als unanständig angesehen, haben an deren Stelle ihre dorischen Friesen teils mit Donnerkeilen, dergleichen Jupiter zu führen pfleget; wie Vignola: teils mit Rosen; wie Palladio und Scamozzi gezieret.

Wenn also Verzierungen eine Nachahmung des Spiels der Natur sind, wie aus Obigen folgen kann, so wird alle angebrachte Gelehrsamkeit der Allegorie dieselben nicht schöner machen, sondern vielmehr verderben. Man wird auch wahrhaftig nicht viel Exempel beibringen können, wo die Alten allegorisch gezieret haben.

Ich weiß zum Exempel nicht, was vor eine Schönheit, oder vor eine Bedeutung der berühmte Graveur Mentor in der Eidechse gesucht hat, die er auf einem Becher gegraben. Denn

> – picti squalentia terga lacerti[40]
> *Verg. Georg. IV. 13.*

sind zwar das lieblichste Bild auf einem Blumenstücke einer Rachel Ruysch, nicht aber auf einem Trinkgeschirre. Was vor eine geheime Bedeutung haben Weinstöcke mit Vögeln, welche von den Trauben an denselben fressen, auf einem Aschentopfe? Vielleicht sind diese Bilder ebenso leer und willkürlich anzusehen, als es die in einem Mantel gewürkte Fabel vom Ganymedes ist, mit welchem Aeneas den Cloanthus, als einen Preis in den Wettspielen zu Schiffe, beschenkte.

Und was vor Widersprechendes haben endlich Trophäen auf ein fürstliches Jagdhaus? Glaubt der Verfasser, als ein eifriger Verfechter des griechischen Geschmacks, es erstrecke

sich derselbe sogar bis auf die Nachahmung Königs Philippi,
und der Makedonier überhaupt, von denen Pausanias meldet, daß sie sich selbst keine Trophäen errichtet haben? Eine
Diana mit einigen Nymphen in ihrem Gefolge, nebst ihrem
übrigen Jagdzeuge,

> quales exercet Diana choros, quam mille secutae
> Hinc atque hinc glomerantur Oreades – –
>
> *Verg.*[41]

schiene etwa dem Orte gemäßer zu sein. Die alten Römer
hängeten ja außen an der Türe ihrer Häuser die Waffen
überwundener Feinde auf, die der Käufer nicht herabneh-
men durfte, um dem Eigentümer des Hauses eine immer-
während Erinnerung zur Tapferkeit zu geben. Hat man
bei Trophäen vorzeiten diese Absicht gehabt, so glaube ich,
können dieselbe nirgend zur Unzeit für große Herren angebracht werden.

Ich wünsche bald eine Antwort auf mein Schreiben zu
sehen. Es kann Sie, mein Freund, nicht sehr befremden, daß
es öffentlich erscheinet: in der Zunft der Schriftsteller ist
man seit einiger Zeit mit Briefen verfahren, wie auf dem
Theater, wo ein Liebhaber, der mit sich selbst spricht, zu
gleicher Zeit das ganze Parterre als seine vertrautesten
Freunde ansiehet. Man findet es aber im Gegenteil nicht
weniger billig, Antworten

> quos legeret tereretque viritim publicus usus
>
> *Hor.*[42]

anzunehmen,

> – et hanc veniam petimusque damusque vicissim.
>
> *Hor.*[43]

Erläuterung der Gedanken
von der Nachahmung der griechischen Werke
in der Malerei und Bildhauerkunst;
und Beantwortung des Sendschreibens
über diese Gedanken.

Ich habe nicht geglaubet, daß meine kleine Schrift einiges Aufmerken verdienen, und Urteile über sich erwecken würde. Sie ist nur für einige Kenner der Künste geschrieben, und dieserwegen schien es überflüssig, ihr einen gewissen gelehrten Anstrich zu geben, den eine Schrift durch Anführungen von Büchern erhalten kann. Künstler verstehen, was man mit halben Worten von der Kunst schreibet, und da es der größte Teil unter ihnen vor »töricht hält« und halten muß, »auf das Lesen mehr Zeit zu wenden als auf das Arbeiten«, wie ein alter Redner lehret, so macht man, wenn man sie nichts Neues lehren kann, sich wenigstens durch die Kürze bei ihnen gefällig; und ich bin überhaupt der Meinung, da das Schöne in der Kunst mehr auf feine Sinnen und auf einen geläuterten Geschmack, als auf ein tiefes Nachdenken beruhet, daß des Neoptolemos Satz, »philosophiere; aber mit wenigen«, sonderlich in Schriften dieser Art zu beobachten sei.

Einige Stellen in meiner Schrift würden eine Erklärung annehmen, und da eines Ungenannten Erinnerungen über dieselbe an das Licht getreten sind, so wäre es billig, daß ich mich erklärte und zugleich antwortete. Die Umstände aber, in welchen ich mich bei meiner nahe bevorstehenden Reise[1] befinde, verstatten mir weder dieses noch jenes nach meinen gemachten Entwurfe auszuführen. Von etlichen Bedenken wird auch der Verfasser des Sendschreibens, seiner Billigkeit gemäß, meine Antwort im voraus haben erraten können; nämlich keine Antwort zu erhalten. Ebenso ungerührt höre ich das Geschrei wider die Stücke vom Correggio an, von denen man gewiß weiß, daß sie nicht allein nach Schweden gekommen, sondern daß sie auch im königlichen Stalle zu

Stockholm gehänget haben. Meine Verteidigung würde wenigstens nicht viel anders werden, als des Aemilius Scaurus
seine wider den Valerius von Sucro war: »Dieser leugnet,
ich bejahe; Römer! wem von beiden glaubt ihr?«

Im übrigen kann diese Nachricht noch weniger bei mir als
bei den Herrn Grafen von Tessin selbst zum Nachteil der
schwedischen Nation gedeutet werden. Ich weiß nicht, ob
der belesene Verfasser der umständlichen Lebensbeschrei-
bung der Königin Christina anders geurteilet hat; weil er
uns ohne alle Nachricht gelassen über den Schatz von Gemälden, der von Prag nach Stockholm gebracht worden;
über die gegen den Maler Bourdon bezeugte unerfahrne
Freigebigkeit der Königin; und über den schlechten Ge-
brauch, den man von so berühmten Stücken des Correggio
gemacht hat. In einer Reisebeschreibung durch Schweden von
einem berühmten Manne in Diensten dieser Krone wird gemeldet, daß in Linköping ein mit sieben Dozenten versehe-
nes Gymnasium, aber kein einziger Handwerker noch Arzt
sei. Dieses könnte dem Verfasser übel gedeutet werden, und
gleichwohl muß es nicht geschehen sein.

Über die Nachlässigkeiten in den Werken der griechischen
Künstler würde ich mich bei erlaubter Muße umständlicher
erkläret haben. Die Griechen kannten die gelehrte Nachlässigkeit; wie ihr Urteil über das Rebhuhn des Protogenes
zeiget: aber man weiß auch, daß es der Maler ganz und gar
ausgelöschet hat. Der Jupiter des Phidias aber war nach den
erhabensten Begriffen der Gottheit, die alles erfüllet, gearbeitet; es war ein Bild wie des Homers Eris, die auf der
Erde stand, und mit dem Kopf bis in den Himmel reichte;
es war gleichsam nach dem Sinn der heiligsten Dichtkunst
entworfen: »Wer kann ihn fassen etc.«[2] Man ist so billig gewesen, dergleichen Freiheit, die sich Raffael genommen, von
den natürlichen Verhältnissen in seinem Karton vom Fisch-
zuge Petri abzugeben, zu entschuldigen, ja dieselbe nötig zu
finden. Die Kritik über den Diomedes scheinet mir gründ-
lich; aber deswegen nicht wider mich: Die Aktion desselben

an und vor sich betrachtet, der edle Umriß und der Ausdruck werden allezeit unsern Künstlern ein großes Beispiel zur Nachahmung bleiben können: und weiter war der Diomedes des Dioskurides meiner Absicht nicht gemäß.

Meine Gedanken von der Nachahmung der griechischen Werke in der Malerei und Bildhauerkunst betreffen vier Hauptpunkte. I. Von der vollkommenen Natur der Griechen. II. Von dem Vorzug ihrer Werke. III. Von der Nachahmung derselben. IV. Von der Griechen ihrer Art zu denken in Werken der Kunst, sonderlich von der Allegorie.

Den ersten Punkt habe ich wahrscheinlich zu machen gesuchet: bis zur völligen Überzeugung werde ich hier, auch mit den seltensten Nachrichten nicht gelangen können. Diese Vorzüge der Griechen scheinen sich vielleicht weniger auf die Natur selbst, und auf den Einfluß des Himmels, als auf die Erziehung derselben zu gründen.

Unterdessen war die glückselige Lage ihres Landes allezeit die Grundursach, und die Verschiedenheit der Luft und der Nahrung machte unter den Griechen selbst den Unterschied, der zwischen den Atheniensern und ihren nächsten Nachbarn jenseit des Gebürges war.

Die Natur eines jeden Landes hat ihren Eingebornen sowohl, als ihren neuen Ankömmlingen eine ihr einige Gestalt, und eine ähnliche Art zu denken gegeben. Die alten Gallier waren eine Nation, wie es die Franken aus Deutschland, ihre Nachkommen geworden sind. Die erste und blinde Wut in Angriffen war jenen schon zu Cäsars Zeiten ebenso nachteilig, wie es sich bei diesen in neuern Zeiten gezeiget hat. Jene hatten gewisse andere Eigenschaften, welche der Nation noch itzo eigen sind, und Kaiser Julian berichtet, daß zu seiner Zeit mehr Tänzer, als Bürger in Paris gewesen.

Die Spanier hingegen handelten allezeit behutsam und mit einem gewissen kalten Blute; und ebendadurch machten sie den Römern die Eroberung ihres Landes so schwer.

Man urteile, ob die Westgoten, Mauretanier, und andere Völker, die dieses Land überschwemmet, nicht den Charak-

ter der alten Iberer angenommen haben. Man nehme die
Vergleichung zu Hülfe, die ein berühmter Skribent bei einigen Nationen über die ehemaligen und jetzigen Eigenschaften derselben machet.

Ebenso würksam muß sich auch der Himmel und die Luft
bei den Griechen in ihren Hervorbringungen gezeiget haben,
und diese Wirkung muß der vorzüglichen Lage des Landes
gemäß gewesen sein. Eine gemäßigte Witterung regierte
durch alle Jahrszeiten hindurch, und die kühlen Winde aus
der See überstrichen die wollüstigen Inseln im ionischen
Meere, und die Seegestade des festen Landes; und vermutlich auch aus diesem Grunde waren im Peloponnes alle Orte
an der See angeleget, wie Cicero aus des Dikaiarchos Schriften zu behaupten suchet.

Unter einem so gemäßigten, und zwischen Wärme und
Kälte gleichsam abgewogenen Himmel spüret die Kreatur
einen gleich ausgeteilten Einfluß desselben. Alle Früchte erhalten ihre völlige Reife, und selbst die wilden Arten derselben gehen in eine bessere Natur hinüber; so wie bei Tieren, welche besser gedeihen und öfter werfen. Ein solcher
Himmel, sagt Hippokrates, bildet unter Menschen die schönsten und wohlgebildetesten Geschöpfe und Gewächse, und
eine Übereinstimmung der Neigungen mit der Gestalt. Das
Land der schönen Menschen, Georgien, beweiset dieses, welches ein reiner und heiterer Himmel mit Fruchtbarkeit erfüllet. Das Wasser allein soll so viel Anteil haben an unserer
Gestalt, daß die Indianer sagen, es könne keine Schönheiten
geben in Ländern, wo kein gut Wasser sei; und das Orakel
selbst gibt dem Wasser der Arethusa die Würkung, schöne
Menschen zu machen.

Mich deucht, man könne auch aus der Sprache der Griechen auf die Beschaffenheit ihrer Körper urteilen. Die
Natur bildet bei jedem Volke die Werkzeuge der Sprache
nach dem Einflusse des Himmels in ihren Ländern, also daß
es Geschlechter gibt, welche wie die Troglodyten mehr pfei-
fen als reden, und andere, die ohne Bewegung der Lippen

reden können. Die Phasianer in Griechenland hatten, wie man es von den Engländern sagt, einen heiseren Laut.

Unter einem rauhen Himmel werden harte Töne formiert, und die Teile des Körpers, welche hierzu dienen, haben nicht die feinsten sein dürfen.

Der Vorzug der griechischen vor allen bekannten Sprachen ist unstreitig: ich rede hier nicht von dem Reichtume, sondern von dem Wohlklange derselben. Alle nordische Sprachen sind mit Konsonanten überladen, welches ihnen oftmals ein unfreundliches Wesen gibt. In der griechischen Sprache hingegen sind die Vokalen mit jenen dergestalt abgewechselt, daß ein jeder Konsonant seinen Vokalen hat, der ihn begleitet: zwei Vokalen aber stehen nicht leicht bei einem Konsonant, daß nicht sogleich durch die Zusammenziehung zwei in einem sollten gezogen werden. Das Sanfte der Sprache leidet nicht, daß sich eine Silbe mit den drei rauhen Buchstaben (ΘΦΧ) endige, und die Verwechselung der Buchstaben, die mit einerlei Werkzeug der Rede gebildet werden, hatte füglich statt, wenn dadurch der Härte des Lauts konnte abgeholfen werden. Einige uns scheinbar harte Worte können keinen Einwurf machen, da wir die wahre Aussprache der griechischen sowenig als der römischen Sprache wissen. Dieses alles gab der Sprache einen sanften Fluß, machte den Klang der Worte mannigfalt, und erleichterte zu gleicher Zeit die unnachahmliche Zusammensetzung derselben. Ich will nicht anführen, daß allen Silben auch im gemeinen Reden ihre wahre Abmessung konnte gegeben werden, woran sich in den abendländischen Sprachen nicht gedenken läßt. Sollte man nicht aus dem Wohlklange der griechischen Sprache auf die Werkzeuge der Sprache selbst schließen können? Man hat daher einiges Recht zu glauben, Homer verstehe unter der Sprache der Götter die griechische, und unter der Sprache der Menschen die phrygische.

Der Überfluß der Vokalen war vornehmlich dasjenige, was die griechische Sprache vor andern geschickt machte,

durch den Klang und durch die Folge der Worte aufein-
ander die Gestalt und das Wesen der Sache selbst auszudrücken. Zwei Verse im Homer machen den Druck, die Geschwindigkeit, die verminderte Kraft im Eindringen, die
Langsamkeit im Durchfahren, und den gehemmten Fortgang
des Pfeils, welchen Pandaros auf den Menelaos abschoß,
sinnlicher durch den Klang als durch die Worte selbst. Man
glaubt den Pfeil wahrhaftig abgedrückt, durch die Luft fahren, und in den Schild des Menelaos eindringen zu sehen.

Die Beschreibung des von Achilles gestellten Haufens seiner Myrmidonen, wo Schild an Schild, und Helm an Helm,
und Mann an Mann schloß, ist von dieser Art, und die
Nachahmung derselben ist allezeit unvollkommen geraten.
Ein einziger Vers enthält diese Beschreibung; man muß ihn
aber lesen, um die Schönheiten zu fühlen. Der Begriff von
der Sprache würde bei dem allen unrichtig sein, wenn man
sich dieselbe als einen Bach, der ohne alles Geräusch (eine
Vergleichung über des Plato Schreibart) vorstellen wollte;
sie wurde ein gewaltiger Strom, und konnte sich erheben,
wie die Winde, die des Ulysses Segel zerrissen. Nach dem
Klange der Worte, die nur einen drei- oder vierfachen Riß
beschrieben, scheinet das Segel in tausend Stücke zu platzen.
Aber außer einem so wesentlichen Ausdrucke fand man dergleichen Worte hart und unangenehm.

Eine solche Sprache erforderte also feine und schnelle
Werkzeuge, für welche die Sprachen anderer Völker, ja die
römische selbst nicht gemacht schienen; so daß sich ein griechischer Kirchenvater beschweret, daß die römischen Gesetze
in einer Sprache, die schrecklich klinge, geschrieben wären.

Wenn die Natur bei dem ganzen Baue des Körpers, wie
bei den Werkzeugen der Sprache verfähret, so waren die
Griechen aus einem feinen Stoffe gebildet; Nerven und Muskeln waren aufs empfindlichste elastisch, und beförderten
die biegsamsten Bewegungen des Körpers. In allen ihren
Handlungen äußerte sich folglich eine gewisse gelenksame
und geschmeidige Gefälligkeit, welche ein munteres und

freudiges Wesen begleitete. Man muß sich Körper vorstellen, die das wahre Gleichgewicht zwischen dem Mageren und Fleischigen gehalten haben. Die Abweichung auf beiden Seiten war den Griechen lächerlich, und ihre Dichter machen sich lustig über einen Kinesias, einen Philetas, und über einen Agorakritos.

Dieser Begriff von der Natur der Griechen könnte dieselben vielleicht als Weichlinge vorstellen, die durch den zeitigen und erlaubten Genuß der Wollüste noch mehr entkräftet worden sind. Ich kann mich hierauf durch des Perikles Verteidigung der Athenienser gegen Sparta, in Absicht ihrer Sitten, einigermaßen erklären, wenn mir erlaubt ist, dieselbe auf die Nation überhaupt zu deuten: Denn die Verfassung in Sparta war fast in allen Stücken von der übrigen Griechen ihrer verschieden. »Die Spartaner«, sagt Perikles, »suchen von ihrer Jugend an durch gewaltsame Übungen eine männliche Stärke zu erlangen; wir aber leben in einer gewissen Nachlässigkeit, und wir wagen uns nichtsdestoweniger in ebenso große Gefährlichkeiten; und da wir mehr mit Muße, als mit langer Überdenkung der Unternehmungen, und nicht sowohl nach Gesetzen, als durch eine großmütige Freiwilligkeit der Gefahr entgegengehen, so ängstigen wir uns nicht über Dinge, die uns bevorstehen, und wenn sie wirklich über uns kommen, so sind wir nicht weniger kühn, sie zu ertragen, als diejenigen, welche sich durch eine anhaltende Übung dazu anschicken. Wir lieben die Zierlichkeit ohne Übermaße und die Weisheit ohne Weichlichkeit. Unser Vorzügliches ist, daß wir zu großen Unternehmungen gemacht sind«.

Ich kann und will nicht behaupten, daß alle Griechen gleich schön gewesen sind: unter den Griechen vor Troja war nur ein Thersites[3]. Dieses aber ist merkwürdig, daß in den Gegenden, wo die Künste geblühet haben, auch die schönsten Menschen gezeuget worden. Theben war unter einem dicken Himmel gelegen, und die Einwohner waren dick und stark, auch nach des Hippokrates Beobachtung

über dergleichen sumpfigte und wäßrigte Gegenden. Es
haben auch die Alten schon bemerkt, daß diese Stadt, außer
dem einzigen Pindaros, ebensowenig Poeten und Gelehrte
aufzeigen können, als Sparta, außer dem Alkman. Das
attische Gebiet hingegen genoß einen reinen und heitern
Himmel, welcher feine Sinne würkte, (die man den Atheniensern beileget,) folglich diesen proportionierte Körper
bildete; und in Athen war der vornehmste Sitz der Künste.
Ebendieses ließe sich erweisen von Sikyon, Korinth, Rhodos,
Ephesos usw. welches Schulen der Künstler waren, und wo
es also denselben an schönen Modellen nicht fehlen konnte.
Den Ort, welcher in dem Sendschreiben aus dem Aristopha-
nes zum Beweise eines natürlichen Mangels bei den Atheniensern angeführet worden, nehme ich, wie er muß genommen werden. Der Scherz des Poeten gründet sich auf eine
Fabel vom Theseus. Mäßig völlige Teile an dem Orte, wo

> sedet aeternumque sedebit
> Infelix Theseus,   *Verg.*[4]

waren eine attische Schönheit. Man sagt, daß Theseus aus
seinem Verhafte bei den Thesprotiern nicht ohne Verlust
der Teile, von welchen geredet wird, durch den Herkules
befreiet worden, und daß er dieses als ein Erbteil auf seine
Nachkommen gebracht habe. Wer also beschaffen war,
konnte sich rühmen, in gerader Linie von dem Theseus abzu-
stammen, so wie ein Geburtsmal in Gestalt eines Spießes
einen Nachkommen von den Spartis bedeutete. Man findet
auch, daß die griechischen Künstler an diesem Orte die Sparsamkeit der Natur bei ihnen, nachgeahmet haben.

  In Griechenland selbst war unterdessen allezeit derjenige
Stamm von der Nation, in welcher sich die Natur freigebig,
doch ohne Verschwendung erzeigte. Ihre Kolonien in fremde
Länder hatten beinahe das Schicksal der griechischen Beredsamkeit, wenn diese aus ihren Grenzen ging. »Sobald die
Beredsamkeit«, sagt Cicero, »aus dem atheniensischen Hafen
auslief, hat sie in allen Inseln, welche sie berühret hat, und

in ganz Asien, welches sie durchzogen ist, fremde Sitten angenommen, und ist völlig ihres gesunden attischen Ausdrucks, gleichsam wie ihrer Gesundheit, beraubet worden«. Die Ionier, welche Neleus nach der Wiederkunft der Herakliden aus Griechenland nach Asien führete, wurden unter dem heißeren Himmel noch wollüstiger. Ihre Sprache hatte wegen der gehäuften Vokalen in einem Worte, noch mehr Spielendes. Die Sitten der nächsten Inseln waren unter einerlei Himmelstrich von den ionischen nicht verschieden. Eine einzige Münze der Insel Lesbos kann hier zum Beweise dienen. In der Natur ihrer Körper muß sich also auch eine gewisse Abartung von ihren Stammvätern gezeiget haben.

Noch eine größere Veränderung muß unter entfernteren Kolonien der Griechen vorgegangen sein. Diejenige, welche sich in Afrika, in der Gegend Pithicussa niedergelassen hatten, fingen an die Affen so ernstlich als die Eingebornen anzubeten; sie nenneten ihre Kinder sogar nach diesem Tiere.

Die heutigen Einwohner in Griechenland sind ein Metall, das mit dem Zusatz verschiedener andern Metalle zusammengeschmolzen ist, an welchen aber dennoch die Hauptmasse kenntlich bleibt. Die Barbarei hat die Wissenschaften bis auf dem ersten Samen vertilget, und Unwissenheit bedecket das ganze Land. Erziehung, Mut und Sitten sind unter einem harten Regimente erstickt, und von der Freiheit ist kein Schatten übrig. Die Denkmale des Altertums werden von Zeit zu Zeit noch mehr vertilget, teils weggeführet; und in englischen Gärten stehen itzo Säulen von dem Tempel des Apollo zu Delos. Sogar die Natur des Landes hat durch Nachlässigkeit seine erste Gestalt verloren. Die Pflanzen in Kreta wurden allen andern in der Welt vorgezogen, und itzo siehet man an den Bächen und Flüssen, wo man sie suchen sollte, nichts als wilde Ranken und gemeine Kräuter. Und wie kann es anders sein, da ganze Gegenden, wie die Insel Samos, die mit Athen einen langwierigen und kostbaren Krieg zur See aushalten konnte, wüste liegen.

Bei aller Veränderung und traurigen Aussicht des Bodens, bei dem gehemmten freien Strich der Winde durch die verwilderte und verwachsene Ufer, und bei dem Mangel mancher Bequemlichkeit, haben dennoch die heutigen Griechen viel natürliche Vorzüge der alten Nation behalten. Die Einwohner vieler Inseln, (welche mehr als das feste Land von Griechen bewohnt werden) bis in Kleinasien, sind die schönsten Menschen, sonderlich was das schöne Geschlecht betrifft, nach aller Reisenden Zeugnis.

Die attische Landschaft gibt noch itzo, so wie ehemals, einen Blick von Menschenliebe. Alle Hirten und alle Arbeiter auf dem Felde hießen die beiden Reisegefährten Spon und Wheler willkommen, und kamen ihnen mit ihren Grüßen und Wünschen zuvor. An den Einwohnern bemerkt man noch itzo einen sehr feinen Witz, und eine Geschicklichkeit zu allen Unternehmungen.

Es ist einigen eingefallen, daß die frühzeitige Übungen der schönen Form der griechischen Jugend mehr nachteilig als vorteilhaft gewesen. Man könnte glauben, daß die Anstrengung der Nerven und Muskeln dem jugendlichen Umrisse zarter Leiber anstatt des sanften Schwungs etwas Eckigtes und Fechtermäßiges gegeben. Die Antwort hierauf liegt zum Teil in dem Charakter der Nation. Ihre Art zu handeln und zu denken war leicht und natürlich; ihre Verrichtungen geschahen, wie Perikles sagt, mit einer gewissen Nachlässigkeit, und aus einigen Gesprächen des Plato kann man sich einen Begriff machen, wie die Jugend unter Scherz und Freude ihre Übungen in ihren Gymnasien getrieben; und daher will er in seiner Republik, daß alte Leute sich daselbst einfinden sollen, um sich der Annehmlichkeiten ihrer Jugend zu erinnern.

Ihre Spiele nahmen mehrenteils bei Aufgang der Sonne ihren Anfang, und es geschahe sehr oft, daß Sokrates so früh diese Orte besuchte. Man wählte die Frühstunden, um sich nicht in der Hitze zu entkräften, und sobald die Kleider abgelegt waren, wurde der Körper mit Öle, aber mit dem schönen attischen Öle überstrichen, teils sich vor der empfindlichen Morgenluft zu verwahren; wie man auch sonst in der größten Kälte zu tun pflegte; teils um die heftigen Ausdünstungen zu vermindern, die nichts als das Überflüssige wegnehmen sollten. Das Öl sollte auch die Eigenschaft haben stark zu machen. Nach geendigten Übungen ging man insgemein ins Bad, wo der Körper von neuen mit Öle gesalbet wurde, und Homer sagt von einem Menschen, der auf solche Art frisch aus dem Bade kömmt, daß er länger und stärker scheine, und den unsterblichen Göttern ähnlich sei.

Auf einer Vase, welche Charles Patin besessen, und in welcher, wie er mutmaßet, die Asche eines berühmten Fechters verwahret gewesen, kann man sich die verschiedenen Arten und Grade des Ringens bei den Alten sehr deutlich vorstellen.

Wären die Griechen beständig barfuß, wie sie selbst die Menschen aus der Heldenzeit vorstelleten, oder allezeit nur auf einer angebundenen Sohle gegangen, wie man insgemein glaubt, so würde ohne Zweifel die Form ihrer Füße sehr gelitten haben. Allein es läßt sich erweisen, daß sie auf die Bekleidung und auf die Zierde ihrer Füße mehr, als wir verwandt haben. Die Griechen hatten mehr als zehen Namen, wodurch sie Schuhe bezeichneten.

Die Bedeckung, welche man in den Spielen um die Hüfte trug, war bereits weggetan vor der Zeit, da die Künste in Griechenland anfingen zu blühen; und dieses war für die Künstler nicht ohne Nutzen. Wegen der Speise der Ringer in den großen Spielen, in ganz uralten Zeiten, fand ich es anständiger von der Milchspeise überhaupt als von weichen Käse zu reden.

Ich erinnere mich hier, daß man die Gewohnheit der ersten Christen, die ganz nackend getauft worden, fremde ja unerweislich finde, unten ist mein Beweis[5]; ich kann mich in Nebendingen nicht weitläuftig einlassen.

Ich weiß nicht, ob ich mich auf meine Wahrscheinlichkeiten über eine vollkommenere Natur der alten Griechen beziehen darf: ich würde bei dem zweiten Punkte an der Kürze viel gewinnen.

Charmoleos, ein junger Mensch von Megara, von dem ein einziger Kuß auf zwei Talente geschätzt wurde, muß gewiß würdig gewesen sein, zu einem Modelle eines Apollo zu dienen, und diesen Charmoleos, den Alkibiades, den Charmides, den Adeimantos konnten die Künstler alle Tage einige Stunden sehen, wie sie ihn zu sehen wünschten. Die Künstler in Paris hingegen will man auf ein Kinderspiel verweisen; und überdem sind die äußersten Teile der Körper, die nur im Schwimmen und Baden sichtbar sind, an allen und jeden Orten ohne Bedeckung zu sehen. Ich zweifle auch, daß derjenige, der in allen Franzosen mehr finden will, als die Griechen in ihren Alkibiades gefunden haben, einen so kühnen Ausspruch behaupten könnte.

Ich könnte auch aus dem Vorhergehenden meine Antwort nehmen über das in dem Sendschreiben angeführte Urteil der Akademien, daß gewisse Teile des Körpers eckigter, als es bei den Alten geschehen, zu zeichnen sind. Es war ein Glück für die alten Griechen und für ihre Künstler, daß ihre Körper eine gewisse jugendliche Völligkeit hatten; sie müssen aber dieselbe gehabt haben: denn da an griechischen Statuen die Knöchel an den Händen eckigt genug angemerkt sind, welches an andern in dem Sendschreiben benannten Orten nicht geschehen ist, so ist es sehr wahrscheinlich, daß sie die Natur also gebildet, unter sich gefunden haben. Der berühmte Borghesische Fechter von der Hand des Agasias von Ephesos hat das Eckigte, und die bemerkten Knochen nicht, wo es die Neuren lehren: er hat es hingegen, wo es sich an anderen griechischen Statuen befindet. Vielleicht ist der Fechter eine Statue, welche ehemals an Orten, wo die großen Spiele in Griechenland gehalten wurden, gestanden hat, wo einem jeden Sieger dergleichen gesetzet wurde. Diese Statuen mußten sehr genau nach ebender Stellung, in welcher der Sieger den Preis erhalten hatte, gearbeitet werden, und die Richter der Olympischen Spiele hielten über dieses

Verhältnis eine genaue Aufsicht: ist nicht hieraus zu schließen, daß die Künstler alles nach der Natur gearbeitet haben?

Von dem zweiten und dritten Punkte meiner Schrift ist bereits von vielen geschrieben worden: meine Absicht, wie es von selbst zeigen kann, war also nur, den Vorzug der Werke der alten Griechen und die Nachahmung derselben mit wenigen zu berühren. Die Einsicht unserer Zeiten fordert sehr viel von Beweisen in dieser Art, wenn sie allgemein sein sollen, und sie setzen allezeit eine nicht geringe vorläufige Einsicht voraus. Unterdessen sind die Urteile vieler Skribenten über der Alten ihre Werke in der Kunst zuweilen nicht reifer, als manche Urteile über ihre Schriften. Könnte man von jemand, der von den schönen Künsten überhaupt schreiben wollen, und die Quellen derselben so wenig gekannt hat, daß er dem Thukydides, dessen Schreibart dem Cicero, wegen ihrer körnigten Kürze und Höhe, wie er selbst bekennet, dunkel war, den Charakter der Einfalt andichtet; könnte man, sage ich, von einem solchen Richter ein wahres Urteil über die griechischen Werke in der Kunst hoffen? Auch in einer fremden Tracht muß Thukydides niemanden also erscheinen. Ein anderer Schriftsteller scheinet mit dem Diodor von Sizilien ebensowenig bekannt zu sein, da er ihn vor einen Geschichtschreiber hält, der den Zierlichkeiten nachläuft. Mancher bewundert auch etwas an der Arbeit der Alten, was keine Aufmerksamkeit verdienet. »Kennern« sagt ein Reisebeschreiber, »ist der Strick, mit welchem Dirke an den Ochsen gebunden ist, das Schönste an dem größten Gruppo aus dem Altertum, welches unter dem Namen il Toro Farnese bekannt ist.«[6]

A miser aegrota putruit cui mente salillum[7].

Ich kenne die Verdienste der neuern Künstler, die in dem Sendschreiben denen aus dem Altertume entgegengesetzet sind: aber ich weiß auch, daß jene durch Nachahmung dieser geworden, was sie gewesen sind, und es würde zu erweisen

sein, daß sie gemeiniglich, wo sie von der Nachahmung der
Alten abgewichen, in viele Fehler des größten Haufens der-
jenigen neuern Künstler, auf die ich nur allein in meiner
Schrift gezielet, verfallen sind.

Was den Umriß der Körper betrifft, so scheinet das
Studium der Natur, an welches sich Bernini in reifern Jahren gehalten hat, diesen großen Künstler allerdings von der
schönen Form abgeführet zu haben. Eine Caritas von seiner
Hand an dem Grabmale Papst Urban VIII. soll gar zu fleischigt sein, und ebendiese Tugend an dem Grabmale Alexander VII. will man sogar häßlich finden. Gewiß ist, daß man
die Statue Königs Ludwig XIV. zu Pferde, an welcher Bernini funfzehen Jahr gearbeitet, und welche übermäßige
Summen gekostet, nicht hat gebrauchen können. Der König
war vorgestellet, wie er einen Berg der Ehre hinaufreiten
wollte: die Aktion des Helden aber sowohl als des Pferdes
ist gar zu wild und gar zu übertrieben. Man hat daher einen
Curtius, der sich in den Pfuhl stürzt, aus dieser Statue gemacht, und sie stehet itzo in dem Garten der Tuilerie. Die
sorgfältigste Beobachtung der Natur muß also allein nicht
hinlänglich sein zu vollkommenen Begriffen der Schönheit,
so wie das Studium der Anatomie allein die schönsten Verhältnisse des Körpers nicht lehren kann. Lairesse hat diese,
wie er selbst berichtet, nach den Skeletts des berühmten Bidloo genommen[8]. Man kann jenen vor einen Gelehrten in seiner Kunst halten; und dennoch findet man, daß er vielmals
in seinen Figuren zu kurz gegangen ist. Die gute Römische
Schule wird hierin selten fehlen. Es ist nicht zu leugnen, die
Venus des Raffaels bei dem Göttermahle scheinet zu schwer
zu sein, und ich möchte es nicht wagen, den Namen dieses
großen Mannes in einem Kindermorde von ihm, welchen
Marcantonio gestochen, über ebendiesen Punkt, wie in einer
seltenen Schrift von der Malerei geschehen, zu rechtfertigen.
Die weiblichen Figuren haben eine gar zu volle Brust, und
die Mörder dagegen ausgezehrte Körper. Man glaubt die

Absicht bei diesem Kontrapost sei gewesen, die Mörder noch abscheulicher vorzustellen. Man muß nicht alles bewundern: die Sonne selbst hat ihre Flecken.

Man folge dem Raffael in seiner besten Zeit und Manier, so hat man, wie er, keine Verteidiger nötig; und Parrhasios und Zeuxis die in dem Sendschreiben in dieser Absicht, und überhaupt die holländischen Formen zu entschuldigen, angeführet worden, sind hierzu nicht dienlich. Man erkläret zwar die daselbst berührte Stelle des Plinius, welche den Parrhasios betrifft, in dem Verstande, wie sie dort angebracht worden, nämlich, »daß der Maler in das Magere verfallen sei, da er die Schwulst vermeiden wollen«. Da man aber, wenn Plinius verstanden, was er geschrieben hat, voraussetzen muß, daß er sich selbst nicht habe widersprechen wollen, so muß dieses Urteil mit demjenigen, worin er kurz zuvor dem Parrhasios den Vorzug in den äußersten Linien, das ist, in dem Umrisse zuschreibt, verglichen und übereinstimmend gemacht werden. Die eigentlichen Worte des Plinius sind; »Parrhasios scheine mit sich selbst verglichen, sich unter sich selbst herunterzusetzen, in Ausdrückung der mittlern Körper«. Es ist aber nicht klar, was »mittlere Körper« sein sollen. Man könnte es von denjenigen Teilen des Körpers verstehen, welche der äußerste Umriß einschließt. Allein ein Zeichner soll seinen Körper von allen Seiten, und nach allen Bewegungen kennen: er wird denselben nicht allein vorwärts, sondern auch von der Seite, und von allen Punkten gestellet, verstehen zu zeichnen, und dasjenige, was im ersteren Falle von dem Umrisse eingeschlossen zu sein scheinen könnte, wird in diesem Falle der Umriß selbst sein. Man kann nicht sagen, daß es für einen Zeichner mittlere Teile des Körpers gibt: (ich rede nicht von dem Mittel des Leibes:) eine jede Muskel gehöret zu seinem äußersten Umrisse und ein Zeichner, der fest ist in dem äußersten Umrisse, aber nicht in dem Umrisse derjenigen Teile, welche der äußerste einschließt, ist ein Begriff, der sich weder an sich selbst, noch

in Absicht auf einen Zeichner gedenken läßt. Es kann hier
die Rede ganz und gar nicht von dem Umrisse sein, auf
welchem das Magere oder die Schwulst beruhet. Vielleicht
hat Parrhasios Licht und Schatten nicht verstanden, und den
Teilen seines Umrisses ihre gehörige Erhöhung und Vertiefung nicht gegeben; welches Plinius unter dem Ausdrucke
der »mittleren Körper« oder »der mittleren Teile desselben«
kann verstanden haben; und dieses möchte die einzige mögliche Erklärung sein, welche die Worte des Plinius annehmen
können. Oder es ist dem Maler ergangen, wie dem berühmten Lafage, den man vor einen großen Zeichner halten
kann: man sagt, sobald er die Palette ergriffen und malen
wollen, habe er seine eigene Zeichnung verdorben. Das Wort
»geringer« beim Plinius gehet also nicht auf den Umriß.
Mich deucht, es können des Parrhasios Gemälde außer den
Eigenschaften, die ihnen obige Erklärung gibt, nach Anleitung der Worte des Plinius, auch noch diesen Vorzug gehabt
haben, daß die Umrisse sanft im Hintergrunde vermalet und
vertrieben worden, welches sich in den mehresten übriggebliebenen Malereien der Alten, und in den Werken neuerer Meister zu Anfange des sechzehenden Jahrhunderts
nicht findet, in welchen die Umrisse der Figuren mehrenteils
hart gegen den Grund abgeschnitten sind. Der vermalte Umriß aber gab den Figuren des Parrhasios dennoch allein ihre
wahre Erhobenheit und Ründung nicht, da die Teile derselben nicht gehörig erhöhet und vertieft waren; und hierin
war er also unter sich selbst herunterzusetzen. Ist Parrhasios
der Größte im Umrisse gewesen, so hat er ebensowenig in das
Magere, als in die Schwulst verfallen können.

Was des Zeuxis weibliche Figuren betrifft, die er nach
Homers Begriffen stark gemacht, so ist daraus nicht zu
schließen, wie in dem Sendschreiben geschehen, daß er sie
stark, wie Rubens, das ist, zu fleischig gehalten. Es ist zu
glauben, daß das spartanische Frauenzimmer, vermöge ihrer
Erziehung, eine gewisse männliche jugendliche Form gehabt
hat, und gleichwohl waren es, nach dem Bekenntnisse des

ganzen Altertums, die größten Schönheiten in Griechenland; und also muß man sich das Gewächs der Helena einer Spartanerin, beim Theokrit vorstellen.

Ich zweifle also, daß Jacob Jordaens, dessen Verteidigung man in dem Sendschreiben mit vielem Eifer ergriffen hat, seinesgleichen unter den griechischen Malern finden würde. Ich getraue mich mein Urteil von diesem großen Koloristen allezeit zu behaupten. Der Verfasser des sogenannten Auszugs von dem Leben der Maler hat die Urteile über dieselbe fleißig gesammlet; aber sie zeugen nicht an allen Orten von einer großen Einsicht in die Kunst, und manche sind unter so vielen Umständen angebracht, daß ein Urteil auf mehr als auf einen Künstler insbesondere könnte angewendet werden.

Bei dem freien Zutritte, welchen Ihro Königliche Majestät in Polen allen Künstlern und Liebhabern der Kunst verstatten, kann der Augenschein mehr lehren, und ist überzeugender, als das Urteil eines Skribenten: ich berufe mich auf die Darbringung im Tempel und auf den Diogenes vom gedachtem Meister. Aber auch dieses Urteil von Jordaens[9] hat eine Erläuterung nötig, wenigstens in Absicht der Wahrheit. Der allgemeine Begriff von Wahrheit sollte auch in Werken der Kunst stattfinden, und nach demselben ist das Urteil ein Rätsel. Der einzige mögliche Sinn desselben möchte etwa folgender sein.

Rubens hat nach der unerschöpflichen Fruchtbarkeit seines Geistes wie Homer gedichtet; er ist reich bis zur Verschwendung: er hat das Wunderbare wie jener gesucht, sowohl überhaupt, wie ein dichterischer und allgemeiner Maler, als auch insbesondere, was Komposition, und Licht und Schatten betrifft. Seine Figuren hat er in der vor ihm unbekannten Manier, die Lichter, auszuteilen, gestellet, und diese Lichter welche auf die Hauptmasse vereiniget sind, sind stärker als in der Natur selbst zusammengehalten, um auch dadurch seine Werke zu begeistern, und etwas Ungewöhnliches in dieselbe zu legen. Jordaens, von der Gattung niederer Gei-

ster, ist in dem Erhabenen der Malerei mit Rubens, seinem
Meister, keinesweges in Vergleichung zu stellen: er hat an
die Höhe desselben nicht reichen, und sich über die Natur
nicht hinaussetzen können. Er ist also derselben näher gefolget, und wenn man dadurch mehr Wahrheit erhält, so
möchte Jordaens den Charakter einer mehrern Wahrheit als
Rubens verdienen. Er hat die Natur gemalet, wie er sie gefunden.

Wenn der Geschmack des Altertums der Künstler Regel in
Absicht der Form und der Schönheit nicht sein soll, so wird
gar keine anzunehmen sein. Einer würde seiner Venus, wie
ein neuerer namhafter Maler getan, ein gewisses französi-
sches Wesen geben: ein anderer würde ihr eine Habichtsnase
machen; da es würklich geschehen, daß man die Nase an der
Mediceischen Venus also gebildet finden wollen: noch ein
anderer würde ihr spitzige und spillenförmige Finger zeichnen, wie der Begriff einiger Ausleger der Schönheit, welche
Lukian beschreibet, gewesen. Sie würde uns mit chinesischen
Augen ansehen, wie alle Schönheiten aus einer neuern italienischen Schule; ja aus jeder Figur würde man das Vaterland
des Künstlers ohne Belesenheit erraten können. Nach des
Demokritos Vorgeben sollen wir die Götter bitten, daß uns
nur glückliche Bilder vorkommen, und dergleichen Bilder
sind der Alten ihre.

Die Nachahmung der Alten in ihrem Umrisse völlig ge-
bildeter Körper kann unsern Künstlern, wenn man will, eine
Ausnahme in Absicht der Fiammingischen Kinder gestatten.
Der Begriff einer schönen Form läßt sich bei jungen Kindern
nicht eigentlich anbringen: man sagt; ein Kind ist schön und
gesund: aber der Ausdruck der Form begreift schon die Reife
gewisser Jahre in sich. Die Kinder vom Fiammingo sind
itzo beinahe wie eine vernünftige Mode, oder wie ein herr-
schender Geschmack, dem unsere Künstler billig folgen, und
die Akademie in Wien, welche geschehen lassen, daß man
den antiken Cupido den Abgüssen vom Fiammingo nach-
gesetzt, hat dadurch von der Vorzüglichkeit der Arbeit neue-

rer Künstler in Kindern über ebendie Arbeiten der Alten
keine Entscheidung, wie mich deucht, gegeben; welches der
Verfasser des Sendschreibens aus dieser angebrachten Nachricht möchte ziehen wollen. Die Akademie ist bei dieser
Nachsicht dennoch bei ihrer gesunden Lehrart und Anweisung zur Nachahmung des Altertums geblieben. Der Künstler, welcher dem Verfasser diese Nachricht mitgeteilet[10], ist,
soviel ich weiß, meiner Meinung. Der ganze Unterschied ist
dieser: die alten Künstler gingen auch in Bildung ihrer Kinder über die gewöhnliche Natur, und die neuern Künstler
folgen derselben. Wenn der Überfluß, welchen diese ihren
Kindern geben, keinen Einfluß hat in ihre Begriffe von
einem jugendlichen Körper und von einem reifen Alter, so
kann ihre Natur in dieser Art schön sein: aber der Alten ihre
ist deswegen nicht fehlerhaft.

Es ist eine ähnliche Freiheit, die sich unsere Künstler in
dem Haarputze ihrer Figuren genommen haben, und die
ebenfalls bei aller Nachahmung der Alten bestehen kann.
Will man sich aber an die Natur halten, so fallen die vordern Haare viel ungezwungener auf die Stirn herunter, wie
es sich in jedem Alter bei Menschen, die ihr Leben nicht zwischen dem Kamme und dem Spiegel verlieren, zeigen kann:
folglich kann auch die Lage der Haare an Statuen der Alten
lehren, daß diese allezeit das Einfältige und das Wahre gesucht haben; da es gleichwohl bei ihnen nicht an Leuten ge-
fehlet, die sich mehr mit ihrem Spiegel, als mit ihren Verstande unterhalten, und die sich auf die Symmetrie ihrer
Haare so gut als der Zierlichste an unsern Höfen verstanden. Es war gleichsam ein Zeichen einer freien und edlen
Geburt, die Haare so, wie die Köpfe und Statuen der Griechen zu tragen.

Die Nachahmung des Umrisses der Alten ist unterdessen
auch von denen, welche hierin nicht die Glücklichsten gewesen sind, niemals verworfen worden, aber über die Nachahmung der edlen Einfalt und der stillen Größe sind die
Stimmen geteilt. Dieser Ausdruck hat selten allgemeinen

Beifall gefunden, und Künstler haben mit demselben allezeit viel gewaget. Also sahe man diese wahre Größe an dem Herkules vom Bandinelli in Florenz als einen Fehler an: in dem Kindermorde des Raffaels verlanget man mehr Wildes und Schreckliches in den Gesichtern der Mörder.

Nach dem allgemeinen Begriffe »der Natur in Ruhe« könnten die Figuren vielleicht den jungen Spartanern des Xenophon ähnlich werden, welches der Verfasser des Sendschreibens auch nach der Regel der »stillen Größe« besorget; ich weiß auch, daß der größte Teil der Menschen, wenn auch der Begriff meiner Schrift allgemein festgesetzt und angenommen wäre, ein Gemälde nach diesem Geschmacke des Altertums gearbeitet, dennoch ansehen könnte, wie man eine Rede vor den Areopagiten gehalten, lesen würde. Allein der Geschmack des größten Haufens kann niemals Gesetze in der Kunst geben. In Absicht des Begriffs »der Natur in Ruhe« hat der Herr von Hagedorn in seinem Werke, welches mit so vieler Weisheit als Einsicht in dem Feinsten der Kunst abgefasset ist[11], vollkommen recht, in großen Werken mehr Geist und Bewegung zu verlangen. Aber diese Lehre hat allezeit viel Einschränkung nötig: niemals so viel Geist, daß ein ewiger Vater einem rächenden Mars, und eine Heilige in Entzückung einer Bacchante ähnlich werde.

Wem dieser Charakter der höhern Kunst unbekannt ist, in dessen Augen wird eine Madonna vom Trevisani, eine Madonna vom Raffael niederschlagen: ich weiß, daß selbst Künstler geurteilet haben, die Madonna des erstern sei dem königlichen Raffael[12] ein wenig vorteilhafter Nachbar. Es schien daher nicht überflüssig, vielen die wahre Größe des seltensten aller Werke der Galerie in Dresden zu entdecken, und diesen gegenwärtig einzigen unversehrten Schatz von der Hand dieses Apollo der Maler, welcher in Deutschland zu finden ist, denen die ihn sehen, schätzbarer zu machen.

Man muß bekennen, daß der königliche Raffael in der Komposition der Transfiguration desselben nicht beikommt;

dahingegen hat jenes Werk einen Vorzug, den dieses nicht hat. An der völligern Ausarbeitung der Transfiguration hat Giulio Romano vielleicht ebensoviel Anteil als dessen großer Meister selbst, und alle Kenner versichern, daß man beide Hände in der Arbeit sehr wohl unterscheiden könne. In jenem aber finden Kenner die wahren ursprünglichen Züge von ebender Zeit des Meisters, da derselbe die Schule zu Athen im Vatikan gearbeitet hat. Auf den Vasari will ich mich hier nicht noch einmal berufen.

Ein vermeinter Richter der Kunst, der das Kind in den Armen der Madonna so elend findet[13], ist so leicht nicht zu belehren. Pythagoras siehet die Sonne mit andern Augen an als Anaxagoras: jener als einen Gott, dieser als einen Stein, wie ein alter Philosoph sagt. Der Neuling mag Anaxagoras sein: Kenner werden der Partei des Pythagoras beitreten. Die Erfahrung selbst kann ohne Betrachtung des hohen Ausdrucks in den Gesichtern des Raffaels Wahrheit und Schönheit finden und lehren. Ein schönes Gesicht gefällt, aber es wird mehr reizen, wenn es durch eine gewisse überdenkende Miene etwas Ernsthaftes erhält. Das Altertum selbst scheinet also geurteilet zu haben: ihre Künstler haben diese Miene in alle Köpfe des Antinous gelegt; die mit den vordern Locken bedeckte Stirn desselben gibt ihm dieselbe nicht. Man weiß ferner, daß dasjenige, was bei dem ersten Augenblicke gefällt, nach demselben vielmals aufhöret zu gefallen: was der vorübergehende Blick hat sammlen können, zerstreuet ein aufmerksamers Auge, und die Schminke verschwindet. Alle Reizungen erhalten ihre Dauer durch Nachforschung und Überlegung, und man sucht in das verborgene Gefällige tiefer einzudringen. Eine ernsthafte Schönheit wird uns niemals völlig satt und zufrieden gehen lassen; man glaubt beständig neue Reizungen zu entdecken: und so sind Raffaels und der alten Meister ihre Schönheiten beschaffen: nicht spielend und liebreich, aber wohlgebildet und erfüllet mit einer wahrhaften und ursprünglichen Schönheit. Durch Reizungen von dieser Art ist Kleopatra durch alle Zeiten hindurch berühmt worden. Ihr Gesicht setzte niemand in Erstaunen, aber ihr Wesen hinterließ bei allen, die sie ansahen, sehr viel zurück, und sie siegte ohne Widerstand, wo sie wollte. Einer französischen Venus vor ihrem Nachttische wird es ergehen, wie jemand von dem Sinnreichen beim Seneca geurteilet hat: es verlieret viel, ja vielleicht alles, wenn man es sucht zu erforschen.

Die Vergleichung zwischen dem Raffael und einigen großen holländischen und neuern italienischen Meistern, welche ich in meiner Schrift gemacht habe, betrifft allein das Traktament in der Kunst. Ich glaube, das Urteil über den mühsamen Fleiß in den Arbeiten der ersteren wird eben dadurch, daß derselbe hat versteckt sein sollen, noch gewisser: denn ebendieses verursachte dem Maler die größte Mühe. Das Schwerste in allen Werken der Kunst ist, daß dasjenige, was sehr ausgearbeitet worden, nicht ausgearbeitet scheine; diesen Vorzug hatten des Nikomachos Gemälde.

Van der Werff bleibet allezeit ein großer Künstler, und seine Stücke zieren mit Recht die Kabinette der Großen in der Welt. Er hat sich bemühet, alles wie von einem einzigen Gusse zu machen: alle seine Züge sind wie geschmolzen, und in der übertriebenen Weichlichkeit seiner Tinten ist, sozusagen, nur ein einziger Ton. Seine Arbeit könnte daher emailliert eher als gemalet heißen.

Unterdessen gefallen seine Gemälde. Aber kann das Gefällige ein Hauptcharakter der Malerei sein? Alte Köpfe von Dennern gefallen auch: wie würde aber das weise Altertum urteilen? Plutarch würde dem Meister aus dem Munde eines Aristides oder eines Zeuxis sagen: »Schlechte Maler, die das Schöne aus Schwachheit nicht erreichen können, suchen es in Warzen und in Runzeln«. Man erzählt vor gewiß, daß Kaiser Karl VI. den ersten Kopf von Dennern, den er gesehen, geschätzt, und an demselben die fleißige Art in Öl zu malen bewundert habe. Man verlangte von dem Meister noch einen dergleichen Kopf, und es wurden ihm etliche tausend Gulden für beide bezahlet. Der Kaiser, welcher ein Kenner der Kunst war, hielt sie beide gegen Köpfe vom van Dyck und vom Rembrandt, und soll gesagt haben; »er habe zwei Stücke von diesem Maler, um etwas von ihm zu haben, weiter aber verlange er keine mehr, wenn man sie ihm auch schenken wolle«. Ebenso urteilte ein gewisser Engländer von Stande: man wollte ihm Dennerische Köpfe anpreisen; »Meinet ihr«, gab er zur Antwort, »daß unsere Nation Werke der Kunst schätzet, an welchen der Fleiß allein, der Verstand aber nicht den geringsten Anteil hat?«

Dieses Urteil über Denners Arbeit folget unmittelbar auf den van der Werff nicht deswegen, daß man eine Vergleichung zwischen beiden Meistern zu machen, gesonnen wäre; denn er reichet bei weiten nicht an van der Werffs Verdienste: sondern nur durch jenes Arbeit, als durch ein Beispiel zu zeigen, daß ein Gemälde, welches gefällt, ebensowenig ein allgemeines Verdienst habe, als ein Gedicht, welches gefällt, wie der Verfasser des Sendschreibens scheinet behaupten zu wollen.

Es ist nicht genug, daß ein Gemälde gefällt; es muß beständig gefallen: aber eben dasjenige, wodurch der Maler hat gefallen wollen, macht uns seine Arbeit in kurzer Zeit gleichgültig. Er scheinet nur für den Geruch gearbeitet zu haben: denn man muß seine Arbeit dem Gesichte so nahe bringen als Blumen. Man wird sie beurteilen, wie einen kostbaren Stein, dessen Wert der geringste bemerkte Tadel verringert.

Die größte Sorgfalt dieser Meister ging also bloß auf eine strenge Nachahmung des Allerkleinsten in der Natur: man scheuete sich das geringste Härchen anders zu legen, als man es fand, um dem schärfsten Auge, ja wenn es möglich gewesen wäre, selbst den Vergrößerungsgläsern das Unmerklichste in der Natur vorzulegen. Sie sind anzusehen als Schüler des Anaxagoras, der den Grund der menschlichen Weisheit in der Hand zu finden glaubte. Sobald sich aber diese Kunst weiter wagen, und die größern Verhältnisse des Körpers, und sonderlich das Nackende hat zeichnen wollen, sogleich zeigt sich

> infelix operis summa, quia ponere totum
> Nescit.   *Hor.*[14]

Die Zeichnung bleibt bei einem Maler, wie die Aktion bei dem Redner des Demosthenes das erste, das zweite und das dritte Ding.

Dasjenige was in dem Sendschreiben an den erhobenen Arbeiten der Alten ausgesetzet ist, muß ich zugestehen, und mein Urteil ist aus meiner Schrift zu ziehen. Die geringe Wissenschaft der Alten in der Perspektiv, welche ich daselbst angezeiget habe, ist der Grund zu dem Vorwurf, den man den Alten in diesem Teile der Kunst machet: ich behalte mir eine ausführliche Abhandlung über demselben vor.

Der vierte Punkt betrifft vornehmlich die Allegorie.

Die Fabel wird in der Malerei insgemein Allegorie genannt; und da die Dichtkunst nicht weniger als die Malerei die Nachahmung zum Endzweck hat, so macht doch diese allein ohne Fabel kein Gedicht, und ein historisches Gemälde wird durch die bloße Nachahmung nur ein gemeines Bild sein, und man hat es ohne Allegorie anzusehen, wie D'Avenants sogenanntes Heldengedicht Gondibert, wo alle Erdichtung vermieden ist.

Kolorit und Zeichnung sind vielleicht in einem Gemälde, was das Silbenmaß, und die Wahrheit oder die Erzählung in einem Gedichte sind. Der Körper ist da: aber die Seele fehlet. Die Erdichtung, die Seele der Poesie, wie sie Aristoteles nennet, wurde ihr zuerst durch den Homer eingeblasen, und durch dieselbe muß auch der Maler sein Werk beleben. Zeichnung und Kolorit sind durch anhaltende Übung zu erlangen: Perspektiv und Komposition, und diese im eigentlichsten Verstande genommen, gründen sich auf festgesetzte Regeln; folglich ist alles dieses mechanisch, und es braucht's nur, wenn ich so reden darf, mechanische Seelen, die Werke einer solchen Kunst zu kennen und zu bewundern.

Alle Ergötzlichkeiten bis auf diejenigen, die dem größten Haufen der Menschen den unerkannten großen Schatz, die Zeit, rauben, erhalten ihre Dauer, und verwahren uns vor Ekel und Überdruß nach der Maße, wie sie unsern Verstand beschäftigen. Bloß sinnliche Empfindungen aber gehen nur bis an die Haut, und würken wenig in den Verstand. Die Betrachtung der Landschaften, der Frucht- und Blumenstücke macht uns ein Vergnügen von dieser Art: der Kenner, welcher sie siehet, hat nicht nötig mehr zu denken, als der Meister; der Liebhaber oder der Unwissende gar nicht.

Ein historisches Gemälde, welches Personen und Sachen vorstellet, wie sie sind, oder wie sie geschehen, kann sich bloß durch den Ausdruck der Leidenschaften in den handelnden Personen von Landschaften unterscheiden: unterdessen sind beide Arten nach eben der Regel ausgeführet, im Wesen eins; und dieses ist die Nachahmung.

Es scheinet nicht widersprechend, daß die Malerei ebenso weite Grenzen als die Dichtkunst haben könne, und daß es folglich dem Maler möglich sei, dem Dichter zu folgen, so wie es die Musik imstande ist zu tun. Nun ist die Geschichte der höchste Vorwurf, den ein Maler wählen kann; die bloße Nachahmung aber wird sie nicht zu dem Grade erheben, den eine Tragödie oder ein Heldengedicht, das Höchste in der Dichtkunst, hat. Homer hat aus Menschen Götter gemacht, sagt Cicero; das heißt, er hat die Wahrheit nicht allein höher getrieben, sondern er hat, um erhaben zu dichten, lieber das Unmögliche, welches wahrscheinlich ist, als das bloß Mögliche gewählet; und Aristoteles setzt hierin das Wesen der Dichtkunst, und berichtet uns, daß die Gemälde des Zeuxis diese Eigenschaft gehabt haben. Die Möglichkeit und Wahrheit, welche Longin von einem Maler im Gegensatze des Unglaublichen bei dem Dichter fordert, kann hiermit sehr wohl bestehen[15].

Diese Höhe kann ein Historienmaler seinen Werken nicht durch einen über die gemeine Natur erhabenen Umriß, nicht durch einen edlen Ausdruck der Leidenschaften allein geben:

man fordert ebendieses von einem weisen Porträtmaler, und
dieser kann beides erhalten ohne Nachteil der Ähnlichkeit
der Person, die er schildert. Beide bleiben noch immer bei
der Nachahmung; nur daß dieselbe weise ist. Man will sogar
in van Dycks Köpfen die sehr genaue Beobachtung der Natur als eine kleine Unvollkommenheit ansehen; und in allen
historischen Gemälden würde sie ein Fehler sein.

Die Wahrheit, so liebenswürdig sie an sich selbst ist, gefällt und machet einen stärkeren Eindruck, wenn sie in einer
Fabel eingekleidet ist: was bei Kindern die Fabel, im engsten
Verstande genommen, ist, das ist die Allegorie einem reifen
Alter. Und in dieser Gestalt ist die Wahrheit in den ungesit-
tetesten Zeiten angenehmer gewesen, auch nach der sehr alten
Meinung, daß die Poesie älter als Prosa sei, welche durch
die Nachrichten von den ältesten Zeiten verschiedener Völker bestätiget wird.

Unser Verstand hat außerdem die Unart, nur auf dasjenige aufmerksam zu sein, was ihm nicht der erste Blick
entdecket, und nachlässig zu übergehen, was ihm klar wie
die Sonne ist: Bilder von der letzten Art werden daher, wie
ein Schiff im Wasser, oftmals nur eine augenblickliche Spur
in dem Gedächtnisse hinterlassen. Aus keinem andern Grunde
dauren die Begriffe von unserer Kindheit länger, weil wir
alles, was uns vorgekommen, als außerordentlich angesehen
haben. Die Natur selbst lehret uns also, daß sie nicht durch
gemeine Sachen beweget wird. Die Kunst soll hierin die
Natur nachahmen, sagt der Skribent der Bücher von der
Redekunst, sie soll erfinden, was jene verlanget.

Eine jede Idee wird stärker, wenn sie von einer oder mehr
Ideen begleitet ist, wie in Vergleichungen, und um so viel
stärker, je entfernter das Verhältnis von diesen auf jene ist:
denn wo die Ähnlichkeit derselben sich von selbst darbietet,
wie in Vergleichung einer weißen Haut mit Schnee, erfolgt
keine Verwunderung. Das Gegenteil ist dasjenige, was wir
Witz, und was Aristoteles unerwartete Begriffe nennet: er
fordert ebendergleichen Ausdrücke von einem Redner. Je

mehr Unerwartetes man in einem Gemälde entdecket, desto
rührender wird es; und beides erhält es durch die Allegorie.
Sie ist wie eine unter Blättern und Zweigen versteckte
Frucht, welche desto angenehmer ist, je unvermuteter man
sie findet; das kleinste Gemälde kann das größte Meisterstück werden, nachdem die Idee desselben erhaben ist.

Die Notwendigkeit selbst hat Künstlern die Allegorie gelehret. Anfänglich wird man sich freilich begnüget haben,
nur einzelne Dinge von einer Art vorzustellen; mit der Zeit
aber versuchte man auch dasjenige, was vielen einzelnen gemein war, das ist, allgemeine Begriffe auszudrücken. Eine
jede Eigenschaft eines einzelnen gibt einen solchen Begriff,
und getrennt von demjenigen, was ihn begreift, denselben
sinnlich zu machen, mußte durch ein Bild geschehen, welches
einzeln wie es war, keinem einzelnen insbesondere, sondern
vielen zugleich zukam.

Die Ägypter waren die ersten, die solche Bilder suchten,
und ihre Hieroglyphen gehören mit unter dem Begriff der
Allegorie. Alle Gottheiten des Altertums, sonderlich der
Griechen, ja die Namen derselben kamen aus Ägypten: die
Göttergeschichte aber ist nichts als Allegorie und machet den
größten Teil derselben auch bei uns aus.

Jene Erfinder aber gaben vielen Dingen, sonderlich ihren
Gottheiten, solche Zeichen, die zum Teil unter den Griechen
beibehalten wurden, deren Bedeutung man oftmals so wenig
durch Hülfe der uns aufbehaltenen Skribenten finden kann,
daß es diese vielmehr vor ein Verbrechen wider die Gottheit
hielten, dieselben zu offenbaren, wie mit dem Granatapfel
in der Hand der Juno zu Samos geschehen. Es wurde ärger
als ein Kirchenraub gehalten, von den Geheimnissen der
Eleusischen Ceres zu reden.

Das Verhältnis der Zeichen mit dem Bezeichneten grün-
dete sich auch zum Teil auf unbekannte oder unbewiesene
Eigenschaften der ersteren. Von dieser Art war der Roß-
käfer, als ein Bild der Sonne bei den Ägyptern, und diese
sollte das Insekt vorstellen, weil man glaubte, daß kein

Weibchen in seinem Geschlechte sei, und daß er sechs Monate in der Erde und ebenso lange Zeit außer derselben lebe. Ebenso sollte die Katze, weil man wollte bemerkt haben, daß sie so viel Junge als Tage in einem Umlaufe des Monds zu werfen pflege, ein Bild der Isis oder des Monds sein.

Die Griechen, welche mehr Witz und gewiß mehr Empfindung hatten, nahmen nur diejenigen Zeichen von jenen an, die ein wahres Verhältnis mit dem Bezeichneten hatten, und vornehmlich welche sinnlich waren: ihren Göttern gaben sie durchgehends menschliche Gestalten. Die Flügel bedeuteten bei den Ägyptern schnelle und wirksame Dienste: das Bild ist der Natur gemäß; Flügel stelleten bei den Griechen ebendieses vor, und wenn die Athenienser ihrer Viktoria die gewöhnlichen Flügel nicht gaben, wollten sie dadurch den ruhigen Aufenthalt derselben in ihrer Stadt vorstellen. Eine Gans bedeutete dort einen behutsamen Regenten, und man gab in Absicht hierauf den Vorderteilen an Schiffen die Gestalt einer Gans. Die Griechen behielten dieses Bild bei, und der Alten ihre Schiffschnäbel endigen sich mit einem Gänsehals.

Der Sphinx ist von den Figuren, die kein klares Verhältnis zu ihrer Bedeutung haben, vielleicht die einzige, welche die Griechen von den Ägyptern angenommen haben: er bedeutete bei jenen beinahe ebendas, was er bei diesen lehren sollte, wenn er vor dem Eingange ihrer Tempel stand. Die Griechen gaben ihrer Figur Flügel, und bildeten den Kopf mehrenteils frei ohne Stola; auf einer atheniensischen Münze hat der Sphinx dieselbe behalten.

Es war überhaupt der griechischen Nation eigen, alle ihre Werke mit einem gewissen offenen Wesen, und mit einem Charakter der Freude zu bezeichnen: die Musen lieben keine fürchterliche Gespenster; und wenn selbst Homer seinen Göttern ägyptische Allegorien in dem Mund leget, geschiehet es insgemein, um sich zu verwahren, mit einem »Man saget«. Ja wenn der Dichter Pamphos vor den Zeiten des Homers, seinen Jupiter beschreibet, wie er in Pferdemist eingewickelt

ist, so klinget es zwar mehr als ägyptisch, in der Tat aber
nähert es sich dem hohen Begriffe des englischen Dichters.

> As full, as perfect in a hair as heart,
> As full, as perfect in vile Man that mourns,
> As the rapt Seraph that adores and burns.
>
> *Pope*[16].

Ein Bild, dergleichen die Schlange ist, die sich um ein Ei ge-
schlungen, auf einer tyrischen Münze des dritten Jahrhunderts, wird schwerlich auf einer griechischen Münze zu finden sein. Auf keinem einzigen ihrer Denkmale ist eine fürchterliche Vorstellung: sie vermieden dergleichen noch mehr
als gewisse sogenannte unglückliche Worte. Das Bild des
Todes erscheinet vielleicht nur auf einem einzigen alten
Steine: aber in einer Gestalt, wie man es bei ihren Gastmah-
len aufzuführen pflegte; nämlich sich durch Erinnerung der
Kürze des Lebens zum angenehmen Genusse desselben auf-
zumuntern: der Künstler hat den Tod nach der Flöte tanzen
lassen. Auf einem andern Steine mit einer römischen Inschrift
ist ein Totengerippe mit zwei Schmetterlingen, als Bildern
der Seele, von denen der eine von einem Vogel gehascht
wird, welches auf die Seelenwanderung zielen soll; die Arbeit aber ist von spätern Zeiten.

Man hat auch angemerkt, daß, da alle Gottheiten geweihete Altäre gehabt haben, weder unter den Griechen noch
Römern ein Altar des Todes gewesen, außer an den ent-
legensten Küsten der damals bekannten Welt.

Die Römer haben in ihrer besten Zeit gedacht wie die
Griechen, und wo sie die Bildersprache einer fremden Nation angenommen haben, so sind sie den Grundsätzen ihrer
Vorgänger und Lehrer gefolget. Ein Elefant, der in spätern
Zeiten unter die geheimen Zeichen der Ägypter aufgenommen wurde, (denn auf den vorhandenen ältesten Denkmalen
dieser Nation ist das Bild dieses Tiers sowenig als ein Hirsch,
ein Strauß und ein Hahn zu finden) bedeutete verschiedenes,
und vielleicht auch die Ewigkeit, unter welchem Begriffe der

Elefant auf einigen römischen Münzen stehet; und dieses
wegen seines langen Lebens. Auf einer Münze Kaiser Anto-
nins führet dieses Tier zur Überschrift das Wort: Munifi-
centia[17]: wo es aber nichts anders bedeuten kann, als große
Spiele, in welchen man Elefanten mit aufführete.

Es ist aber meine Absicht ebensowenig den Ursprung aller
allegorischen Bilder bei den Griechen und Römern zu unter-
suchen, als ein Lehrgebäude der Allegorie zu schreiben. Ich
suche nur meine Schrift über diesen Punkt zu rechtfertigen,
mit dieser Einschränkung, daß die Bilder, worin die Griechen und Römer ihre Gedanken eingekleidet haben, vor
allen Bildern anderer Völker, und vor übelentworfenen Gedanken einiger Neueren das Studium der Künstler sein
müssen.

Es können einige wenige Bilder als Beispiele dienen, wie
die griechischen und guten römischen Künstler gedacht
haben, und wie es möglich sei, ganz abgesonderte Begriffe
sinnlich vorzustellen. Viele Bilder auf ihren Münzen, Steinen und andern Denkmalen haben ihre bestimmte und an-
genommene Bedeutung, einige aber der merkwürdigsten,
welche die ihrige noch nicht allgemein haben, verdienten sie
zu bekommen.

Man könnte die allegorischen Bilder der Alten unter zwo
Arten fassen, und eine höhere und gemeinere Allegorie setzen, so wie überhaupt in der Malerei dieser Unterschied
stattfinden kann. Bilder von der ersteren Art sind diejenigen, in welchen ein geheimer Sinn der Fabelgeschichte oder
der Weltweisheit der Alten liegt: man könnte auch einige
hieher ziehen, die von wenig bekannten, oder geheimnisvol-
len Gebräuchen des Altertums genommen sind.

Zur zweiten Art gehören Bilder von bekannterer Bedeutung, als persönlich gemachte Tugenden und Laster usw.

Bilder von der ersten Art geben den Werken der Kunst
die wahre epische Größe: eine einzige Figur kann ihr dieselbe geben: je mehr Begriffe sie in sich fasset, desto höher
wird sie, und je mehr sie zu denken veranlasset, desto tiefer

ist der Eindruck, den sie machet, und um so viel sinnlicher wird sie also.

Die Vorstellung der Alten von einem Kinde, welches in der Blüte seiner Jugend stirbt, war ein solches: sie maleten ein Kind in den Armen der Aurora entführet; ein glückliches Bild: vermutlich von der Gewohnheit, die Leichen junger Leute beim Anbruche der Morgenröte zu begraben, hergenommen; der gemeine Gedanke der Künstler vom heutigen Wuchs ist bekannt.

Die Belebung des Körpers durch Einflößung der Seele, einer der abgesondertesten Begriffe, ist durch die lieblichsten Bilder sinnlich, und zugleich dichterisch von den Alten gemalet. Ein Künstler, der seine Meister nicht kennet, würde zwar durch die bekannte Vorstellung der Schöpfung ebendieses anzudeuten glauben: sein Bild aber würde in aller Augen nichts anders als die Schöpfung selbst vorstellen, und diese Geschichte scheinet zur Einkleidung eines bloß philosophischen menschlichen Begriffs und zur Anwendung desselben an ungeweihten Orten zu heilig: zu geschweigen, daß er zur Kunst nicht dichterisch genug ist. In Bildern der ältesten Weisen und Dichter eingekleidet erscheinet dieser Begriff teils auf Münzen, teils auf Steinen. Prometheus bildet einen Menschen von dem Tone, von welchem man noch zu Pausanias' Zeiten große versteinerte Klumpen in der Landschaft Phokis zeigte; und Minerva hält einen Schmetterling, als das Bild der Seele, auf dem Kopf derselben. Auf der angeführten Münze Antonini Pii, wo hinter der Minerva ein Baum ist, um den sich eine Schlange gewunden hat, hält man es vor ein Sinnbild der Klugheit und Weisheit des Prinzen.

Es ist nicht zu leugnen, daß die Bedeutung von vielen allegorischen Bildern der Alten auf bloße Mutmaßungen beruhet, die daher von unsern Künstlern nicht allgemein angewendet werden können. Man hat in der Figur eines Kindes auf einem geschnittenen Steine, welches einen Schmetterling auf einen Altar setzen will, den Begriff einer Freundschaft

bis zum Altar, das ist, die nicht über die Grenzen der Gerechtigkeit gehet, finden wollen. Auf einem andern Steine
soll die Liebe, die den Zweig eines alten Baums, als ein vor-
gegebenes Bild der Weisheit, auf welchen eine sogenannte
Nachtigall sitzet, nach sich zu ziehen bemühet, die Liebe
zur Weisheit vorstellen. Eros, Himeros und Pathos waren
bei den Alten diejenigen Bilder, welche die Liebe, den
Appetit und das Verlangen andeuteten: diese drei Figuren
will man auf einem geschnittenen Steine finden. Sie stehen
um einen Altar, auf welchem ein heiliges Feuer brennet. Die
Liebe hinter dasselbe, so daß sie nur mit dem Kopfe hervor-
raget; der Appetit und das Verlangen auf beiden Seiten des
Altars: jener nur mit einer Hand im Feuer, in der andern
aber mit einem Kranze: dieser mit beiden Händen im
Feuer.

Eine Viktorie, die einen Anker krönet, auf einer Münze
Königs Seleukos, war sonst als ein Bild des Friedens und
der Sicherheit, den der Sieg verschaffet, angesehen; bis man
die wahre Erklärung gefunden. Seleukos soll mit einem Male
in der Gestalt eines Ankers geboren sein, welches Zeichen
nicht allein dieser König, sondern auch die Seleukiden, dessen Nachkommen, zur Bezeichnung ihrer Abkunft, auf ihre
Münzen prägen lassen.

Wahrscheinlicher ist die Erklärung, die man einer Viktorie
mit Schmetterlingsflügeln an ein Siegeszeichen gebunden,
gibt. Man glaubt unter derselben einen Held zu finden, der
als ein Sieger, wie Epaminondas, gestorben. In Athen war
jene Statue und ein Altar der Viktoria ohne Flügel, als ein
Bild des unwandelbaren Glücks im Kriege: der angebundene
Sieg könnte hier eine ähnliche Bedeutung erlauben, verglichen mit dem angeschlossenen Mars zu Sparta. Die Art von
Flügeln, die der Psyche eigen ist, war der Figur vermutlich
nicht von ohngefähr gegeben, da ihr sonst Adlersflügel gehören: vielleicht liegt der Begriff der Seele des verstorbenen
Helden unter denselben verborgen. Die Mutmaßungen sind
erträglich, wenn eine Viktorie an Trophäen von Waffen

überwundener Völker gebunden, sich mit einem Sieger dieser Völker reimen ließe.

Die höhere Allegorie der Alten ist freilich ihrer größten Schätze beraubet auf uns gekommen; sie ist arm in Ansehung der zweiten Art. Diese hat nicht selten mehr als ein einziges Bild zu einem einzigen Ausdruck. Zwei verschiedene finden sich auf Münzen Kaisers Commodus, die Glückseligkeit der Zeit zu bezeichnen. Das eine ist ein sitzendes Frauenzimmer mit einem Apfel oder Kugel in der Rechten, und mit einer Schale in der linken Hand unter einem grünen Baume: vor ihr sind drei Kinder, von welchen zwei in einer Vase oder in einem Blumentopfe, als das gewöhnliche Symbolum der Fruchtbarkeit. Das andere bestehet aus vier Kindern, welche die vier Jahrszeiten vorstellen durch die Sachen, welche sie tragen: die Unterschrift beider Münzen ist: »Glückseligkeit der Zeiten«.

Diese und alle andere Bilder, welche eine Schrift zur Erklärung nötig haben, sind vom niedrigen Range in ihrer Art: und einige würden ohne dieselbe für andere Bilder können genommen werden. Die Hoffnung und die Fruchtbarkeit könnte eine Ceres, der Adel eine Minerva sein. Der Geduld auf einer Münze Kaisers Aurelianus fehlen auch die wahren Unterscheidungszeichen, so wie der Muse Erato, und die Parzen sind allein durch ihre Bekleidung von den Grazien unterschieden. Unterdessen sind andere Begriffe, die in der Moral unmerkliche Grenzen haben, wie es die Gerechtigkeit und die Billigkeit ist, von den Künstlern der Alten sehr wohl unterschieden. Jene wird mit aufgebundenen Haaren und einem Diadem in einer ernsthaften Miene, so wie sie Gellius malet, diese wird mit einem holden Gesichte und mit fliegenden Haaren vorgestellet. Aus der Waage, welche diese hält, steigen Kornähren hervor, welche man auf die Vorteile der Billigkeit deutet; zuweilen hält sie in der andern Hand ein Horn des Überflusses.

Unter die vom stärkeren Ausdrucke gehöret der Friede auf einer Münze Kaisers Titus. Die Göttin des Friedens

stützt sich mit dem linken Arm auf eine Säule, und in ebender Hand hält sie einen Zweig von einem Ölbaume, in der
andern des Merkurs Stab über einen Schenkel eines Opfer-
tiers, welcher auf einem kleinen Altare liegt. Diese Hostie
deutet auf die unblutigen Opfer der Göttin des Friedens:
man schlachtete dieselben außer dem Tempel, und auf ihren
Altar wurden nur die Schenkel gebracht, um denselben nicht
mit Blut zu beflecken.

Gewöhnlich siehet man den Frieden mit einem Ölzweige
und Stabe des Merkurs, wie auf einer Münze ebendieses
Kaisers; oder auch auf einem Sessel, welcher auf einem Haufen hingeworfener Waffen stehet, wie auf einer Münze vom
Drusus: auf einigen von des Tiberius und Vespasianus Münzen verbrennet der Friede Waffen.

Auf einer Münze Kaisers Philippus ist ein edles Bild:
eine schlafende Viktoria. Man kann sie mit besserem Rechte
auf einen zuversichtlichen gewissen Sieg, als auf die Sicherheit der Welt deuten, was sie nach der Unterschrift vorstellen soll. Eine ähnliche Idee enthielt dasjenige Gemälde, wodurch man dem atheniensischen Feldherrn Timotheos ein blin-
des Glück in seinen Siegen vorwerfen wollte. Man malete
ihn schlafend, und das Glück, wie es Städte in ihr Netz fing.

Zu dieser Klasse gehöret der Nil mit seinen sechszehen
Kindern im Belvedere zu Rom. Dasjenige Kind, welches
mit den Kornähren und den Früchten in dem Horn des
Nils, gleich hoch stehet, bedeutet die größte Fruchtbarkeit;
diejenigen von den Kindern aber, die über das Horn und
dessen Früchte hinaufgestiegen, deuten auf Mißwachs. Plinius gibt uns die Erklärung davon. Ägypten ist am frucht-
barsten, wenn der Nil sechszehen Fuß hoch steiget, wenn er
aber über diese Maß kommt, ist es dem Lande ebensowenig
zuträglich, als wenn der Fluß die gewünschte Maß nicht erreichet. In des Rossi seiner Sammlung sind die Kinder weggelassen.

Was sich von allegorischen Satiren findet, gehöret mit zu
dieser zweiten Art. Ein Exempel gibt der Esel aus der Fabel

des Gabrias, den man mit einer Statue der Isis beladen hatte, und welcher die Ehrfurcht des Volks gegen das Bild auf sich deutete. Kann der Stolz des Pöbels unter den Großen in der Welt sinnlicher vorgestellet werden?

Die höhere Allegorie würde aus der gemeinern können ersetzet werden, wenn diese nicht gleiches Schicksal mit jener gehabt hätte. Wir wissen zum Exempel nicht, wie die Beredsamkeit oder die Göttin Peitho gebildet gewesen; oder wie Praxiteles die Göttin des Trostes Paregoros, von welchem Pausanias Nachricht gibt, vorgestellet habe. Die Vergessenheit hatte einen Altar bei den Römern; vielleicht war auch dieser Begriff persönlich gemacht. Ebendieses läßt von der Keuschheit gedenken, deren Altar man auf Münzen findet; ingleichen von der Furcht, welcher Theseus geopfert hat.

Unterdessen sind die übriggebliebenen Allegorien von Künstlern neuerer Zeiten noch nicht insgesamt verbraucht: es sind vielen unter diesen hier und da einige unbekannt geblieben; und die Dichter und die übrigen Denkmale des Altertums können noch allezeit einen reichen Stoff zu schönen Bildern darreichen. Diejenigen, welche zu unseren und unserer Väter Zeiten dieses Feld haben bereichern, und nicht weniger zum Unterricht als zur Erleichterung der Künstler arbeiten wollen, hätten Quellen, die so rein und reich sind, suchen sollen. Es erschien aber eine Zeit in der Welt, wo ein großer Haufe der Gelehrten gleichsam zur Ausrottung des guten Geschmacks sich mit einer wahrhaften Raserei empörete. Sie fanden in dem, was Natur heißt, nichts als kindische Einfalt, und man hielt sich verbunden, dieselbe witziger zu machen. Junge und Alte fingen an Devisen und Sinnbilder zu malen, nicht allein für Künstler, sondern auch für Weltweise und Gottesgelehrte; und es konnte kaum ferner ein Gruß ohne ein Emblema anzubringen, bestellet werden. Man suchte dergleichen lehrreicher zu machen durch eine Unterschrift desjenigen, was sie bedeuteten, und was sie nicht bedeuteten[18]. Dieses sind die Schätze nach die man noch itzo gräbet. Nachdem nun einmal diese Gelehrsamkeit Mode

worden war, so wurde an die Allegorie der Alten gar nicht
mehr gedacht.

Das Bild der Freigebigkeit war bei den Alten eine weibliche Figur mit einem Horne des Überflusses in der einen
Hand und in der andern die Tafel eines römischen Congiarii[19]. Die römische Freigebigkeit schien vielleicht gar zu
sparsam; man gab der selbstgemachten in jeder Hand ein
Horn, und das eine umgekehrt, um auszustreuen. Auf den
Kopf setzte man ihr einen Adler, der, ich weiß nicht was,
hier bedeuten sollte. Andere malten eine Figur mit einem
Gefäße in jeder Hand.

Die Ewigkeit saß bei den Alten auf einer Kugel oder vielmehr auf einer Sphäre mit einem Spieße in der Hand; oder
sie stand, mit der Kugel in der einen Hand, und im übrigen
wie jene; oder eine Kugel in der Hand, und ohne Spieß;
oder auch mit einem fliegenden Schleier um den Kopf. Unter
so verschiedenen Gestalten findet sich die Ewigkeit auf Münzen der Kaiserin Faustina. Den neuern Allegoristen schien
dieses zu leicht gedacht: sie malten uns etwas Schreckliches,
wie vielen die Ewigkeit selbst ist; eine weibliche Gestalt bis
auf die Brust, mit Kugeln in beiden Händen; das übrige des
Körpers ist eine Schlange, die in sich selbst zurückgehet mit
Sternen bezeichnet.

Die Vorsicht hat mehrenteils zu ihren Füßen eine Kugel
und einen Spieß in der linken Hand. Auf einer Münze Kaisers Pertinax hält die Vorsicht die Hände ausgestreckt gegen
eine Kugel, welche aus den Wolken zu fallen scheinet. Eine
weibliche Figur mit zwei Gesichtern schien den Neuern bedeutender zu sein.

Die Beständigkeit siehet man auf einigen Münzen Kaisers
Claudius, sitzend und stehend mit einem Helme auf dem
Haupte und einem Spieße in der linken Hand; auch ohne
Helm und Spieß: aber allezeit mit einem auf das Gesicht
gerichteten Zeigefinger, als wenn sie etwas ernstlich behaup-
ten wollte. Bei den Neuern konnte die Vorstellung dieser
Tugend ohne Säulen nicht förmlich werden.

Es scheinet, Ripa[20] habe oft seine eigene Figuren nicht verstanden zu erklären. Das Bild der Keuschheit hält bei ihm in der einen Hand eine Geißel, (welche wenig Reizung zur Tugend gibt) und in der andern Hand ein Sieb. Der Erfinder dieses Bildes, von dem es Ripa geborget, hat vermutlich auf die Vestalin Tuccia zielen wollen[21]; Ripa, dem dieses nicht eingefallen ist, kommt mit den gezwungensten Einfällen hervor, die nicht verdienen, daß sie wiederholet werden.

Ich spreche durch den gemachten Gegensatz unseren Zeiten das Recht der Erfindung allegorischer Bilder nicht ab: es können aber aus der verschiedenen Art zu denken einige Regeln gezogen werden für diejenigen, welche diesen Weg betreten wollen.

Von dem Charakter einer edlen Einfalt haben sich die alten Griechen und Römer niemals entfernet: das wahre Gegenteil von derselben siehet man in Romeyn de Hooghes Bildersprache[22]. Von vielen seiner Einfälle kann man sagen, wie Vergil von dem Ulmbaume in der Hölle

> Hanc sedem somnia vulgo
> Vana tenere ferunt, foliisque sub omnibus haerent.
> *Aen. VI*[23].

Die Deutlichkeit gaben die Alten ihren Bildern mehrenteils durch solche ihnen zugegebene Zeichen, die dieser und keiner andern Sache eigen sind, (etliche wenige, die oben angezeiget worden, ausgenommen) und zu ebendieser Regel gehöret die Vermeidung aller Zweideutigkeit, wider welche man in Allegorien der Neüeren gehandelt hat, wo der Hirsch die Taufe und auch die Rache, ein nagendes Gewissen und die Schmeichelei bedeuten soll. Die Zeder soll ein Bild eines Predigers und zugleich irdischer Eitelkeiten, eines Gelehrten und einer sterbenden Wöchnerin sein.

Die Einfalt und Deutlichkeit begleitete allezeit ein gewisser Wohlstand. Ein Schwein, welches bei den Ägyptern einen Nachforscher der Geheimnisse soll bezeichnet haben, würde nebst allen Schweinen, welche Cesare Ripa und andere

Neuere angebracht haben, als ein unanständiges Bild von ihnen angesehen worden sein: außer da, wo dieses Tier gleichsam das Wappen eines Orts war, wie auf den eleusischen Münzen zu sehen.

Endlich waren die Alten bedacht, das Bezeichnete mit seinem Zeichen in ein entferntes Verhältnis zu stellen. Nebst diesen Regeln soll die allgemeine Beobachtung bei allen Versuchen in dieser Wissenschaft billig sein, die Bilder, womöglich, aus der Mythologie und aus der ältesten Geschichte zu wählen.

Man hat in der Tat einige neuere Allegorien, (wenn ich neu nennen darf, was völlig in dem Geschmacke des Altertums ist), die vielleicht neben den Bildern der alten höhern Allegorie zu setzen sind.

Zwei Brüder aus dem Hause Barbarigo, die in der Würde eines Doge zu Venedig unmittelbar aufeinandergefolget sind, werden vorgestellet unter den Bildern des Castor und Pollux. Dieser teilete nach der Fabel mit jenem die Unsterblichkeit, welche ihm allein vom Jupiter zuerkannt wurde: und in der Allegorie überreichet Pollux, als der Nachfolger, seinem verstorbenen Vorgänger, der durch einen Totenkopf bezeichnet wird, eine Schlange, so wie dieselbe pflegt die Ewigkeit vorzustellen; dadurch anzudeuten, daß der verstorbene Bruder durch die Regierung des lebenden, so wie dieser selbst, verewiget werde. Auf der Rückseite einer erdichteten Münze unter beschriebenen Bilde, stehet ein Baum, von dem ein abgebrochener Zweig herunterfällt, mit einer Überschrift aus der Äneis:

Primo avulso non deficit alter[24].

Ein Bild auf einer von Königs Ludwig XIV. Münzen verdienet hier auch angemerkt zu werden. Es wurde dieselbe gepräget, da der Herzog von Lothringen, welcher bald die französische bald die österreichische Partei ergriff, nach der Eroberung von Marsal, aus seinen Landen weichen mußte. Der Herzog ist hier Proteus, wie sich Menelaos desselben

mit List bemächtiget, und ihn bindet, nachdem er vorher alle
mögliche Formen angenommen hatte. In der Ferne ist die
eroberte Festung, und in der Unterschrift ist das Jahr derselben angezeiget. Die Bedeutung der Allegorie hätte die
Überschrift: Protei artes delusae[25]; nicht nötig gehabt.

Ein gutes Exempel der gemeinern Allegorie ist die Geduld
oder vielmehr die Sehnsucht, das sehnliche Verlangen unter
dem Bilde einer weiblichen Figur, die mit gefalteten Händen die Zeit an einer Uhr betrachtet.

Bisher haben freilich die Erfinder der besten malerischen
Allegorien noch immer aus den Quellen des Altertums allein
geschöpfet, weil man niemanden ein Recht zugestanden, Bilder für Künstler zu entwerfen, da denn also keine allgemeine Aufnahme derselben stattgefunden. Von den meisten
bisherigen Versuchen ist dergleichen nicht zu hoffen gewesen: in der ganzen Ikonologie des Ripa sind etwa zwei
oder drei erträglich,

apparent rari nantes in gurgite vasto[26];

und die verlorne Mühe durch einen Mohr, der sich wäschet,
vorgestellet, möchte noch das beste sein. In einigen guten
Schriften sind Bilder versteckt und zerstreuet, wie die
Dummheit und der Tempel derselben in dem Zuschauer[27]
ist: diese müßte man sammlen und allgemeiner machen. Es
ist ein Weg, Wochen- und Monatschriften sonderlich unter
Künstlern beliebt zu machen: ein Beitrag von guten allegorischen Bildern würde dieses würken. Wenn die Schätze der
Gelehrsamkeit der Kunst zufließen, so könnte die Zeit erscheinen, daß der Maler eine Ode ebensogut als eine Tragödie schildern würde.

Ich will selbst versuchen ein paar Bilder anzugeben:
Regeln und viel Exempel unterrichten am besten. Ich finde
die Freundschaft allenthalben schlecht vorgestellet, und die
Sinnbilder derselben verdienen nicht einmal beurteilet zu
werden: sie sind mehrenteils mit fliegenden und beschriebenen Wimpeln; man weiß, wie tief alsdenn die Begriffe liegen.

Ich würde diese größte menschliche Tugend durch Figuren zweier ewigen Freunde aus der Heldenzeit, des Theseus und des Peirithoos malen. Auf geschnittenen Steinen gehen Köpfe unter dem Namen des ersteren: auf einem andern Steine erscheinet der Held mit der Keule, die er dem Periphetes, einem Sohne des Vulkans, genommen hat, von der Hand des Philemons: Theseus kann also den Erfahrnen im Altertume kenntlich gemacht werden. Zu Entwerfung des Bildes einer Freundschaft in der größten Gefahr könnte ein Gemälde zu Delphos dienen, welches Pausanias beschreibet. Theseus war vorgestellet, wie er sich mit seinem Degen in der einen Hand, und mit dem Degen, welchen er seinem Freunde von der Seite gezogen hatte, in der andern Hand, gegen die Thesprotier zur Gegenwehr setzet. Oder der Anfang und die Stiftung ihrer Freundschaft, so wie sie Plutarch beschreibet, könnte ebenfalls ein Vorwurf dieses Bildes sein. Ich habe mich gewundert, daß ich unter den Sinnbildern von weltlichen und geistlichen großen Helden und Männern aus dem Hause Barbarigo keins gefunden habe, auf einen wahren Menschen und ewigen Freund. Nikolaus Barbarigo war ein solcher: er stiftete mit Marco Trevisano eine Freundschaft, die ein ewiges Denkmal verdienet hätte:

Monumentum aere perennius[28].

Ihr Andenken ist in einer kleinen raren Schrift erhalten.

Ein Bild des Ehrgeizes könnte ein kleiner Umstand aus dem Altertume geben. Plutarch bemerkt, daß man der Ehre mit entblößtem Haupte geopfert habe. Alle übrige Opfer, das an den Saturnus ausgenommen, geschahen mit einer Decke über den Kopf. Gedachter Skribent glaubt, daß die gewöhnliche Ehrenbezeigung unter Menschen zu der Beobachtung bei diesen Opfer Gelegenheit gegeben habe; da es vielleicht das Gegenteil sein kann. Es kann auch dieses Opfer von den Pelasgern herrühren, die mit entblößtem Haupte zu opfern pflegten. Die Ehre wird vorgestellet durch eine weibliche Figur mit Lorbeern gekrönet, die ein Horn des Überflusses in der einen, und eine hasta[29] in der andern Hand hält. In Begleitung der Tugend, die eine männliche Figur mit einem Helme ist, stehet sie auf einer Münze Kaisers Vitellius: die Köpfe dieser Tugenden siehet man auf einer Münze von Cordus und Calenus.

Ein Bild des Gebets könnte aus dem Homer genommen werden. Phönix, der Hofmeister des Achilles, suchet den ihm anvertrauten Held zu besänftigen, und dieses tut er in einer Allegorie. »Du mußt wissen, Achilles«, sagt er, »daß die Gebete Töchter des Jupiters sind. Sie sind krumm worden durch vieles Knien; ihr Gesicht ist voller Sorgen und Runzeln, und ihre Augen sind beständig gegen den Himmel gerichtet. Sie sind ein Gefolge der Göttin Ate, und gehen hinter ihr. Diese Göttin gehet ihren Weg mit einer kühnen und stolzen Miene, und leicht zu Fuß, wie sie ist, läuft sie durch die ganze Welt, und ängstiget und quälet die Menschenkinder. Sie suchet den Gebeten auszuweichen, welche ihr unablässig folgen, um diejenigen Personen, welche jene verwundet, zu heilen. Wer diese Töchter des Jupiters ehret, wenn sie sich ihm nähern, genießt viel Gutes von ihnen; wenn man sie aber verwirft, bitten sie ihren Vater, der Göttin Ate Befehl zu geben, einen solchen wegen der Härte seines Herzens zu strafen«.

Man könnte auch aus einer bekannten alten Fabel ein neues Bild machen. Salmakis und der Knabe, den sie liebte, wurden in eine Quelle verwandelt, welche weibisch machte; also daß

> quisquis in hos fontes vir venerit, exeat inde
> Semivir: et tactis subito mollescat in undis.
> *Ovid. Metam. L. IV*[30].

Die Quelle war bei Halikarnassos in Karien. Vitruv glaubt, die Wahrheit dieser Erdichtung gefunden zu haben. Einige Einwohner aus Argos und Troizen, sagt er, begaben sich dahin, und vertrieben die Karer und Leleger, die sich ins Gebürge retteten, und anfingen die Griechen mit Streifereien zu beunruhigen. Einer von den Einwohnern, welcher besondere Eigenschaften in dieser Quelle entdecket hatte, legte bei derselben ein Gebäude an, wo diejenigen die den Brunnen gebrauchen wollten, ihre Bequemlichkeit hatten. Es fanden sich Barbaren sowohl als Griechen hier ein, und jene gewöhneten sich an die sanften griechischen Sitten, und legten freiwillig ihr wildes Wesen ab. Die Vorstellung der Fabel selbst ist Künstlern bekannt: die Erzählung des Vitruvs könnte ihnen Anleitung geben ein Bild eines Volks zu machen, welches gesittet und menschlich geworden, wie die Russen unter Peter I. angefangen haben. Die Fabel des Orpheus könnte zu ebendieser Vorstellung dienen: es kommt auf den Ausdruck an, ein Bild vor das andere bedeutender zu machen.

Ist dasjenige, was ich allgemein über die Allegorie gesagt habe, nicht überzeugend genug die Notwendigkeit derselben in der Malerei darzutun, so werden wenigstens die Bilder, welche als Beispiele angebracht sind, zur Rechtfertigung meines Satzes dienen können; »daß sich die Malerei auf Dinge erstrecke, die nicht sinnlich sind«.

Die beiden größten Werke der allegorischen Malerei, die ich in meiner Schrift angeführet habe, nämlich die Luxemburgische Galerie und die Cuppola der Kaiserlichen Bibliothek zu Wien, können zeigen, wie ihre Meister die Allegorie glücklich und dichterisch angewendet haben.

Rubens wollte Heinrich IV. als einen menschlichen Sieger malen, der in Bestrafung der frevelhaften Aufrührer und meichelmörderischer Majestätbeleidiger dennoch Gelindigkeit und Gnade blicken läßt. Er gab seinem Held die Person des Jupiters, welcher den Göttern Befehl erteilet, die Laster zu strafen und zu stürzen. Apollo und Minerva drücken ihre Pfeile auf dieselben ab, und die Laster, als Ungeheuer gebildet, fallen übereinander zu Boden. Mars will in voller Wut alles vollend zernichten; die Venus aber, als das Bild der Liebe, hält ihn sanft bei dem Arme zurück: der Ausdruck der Göttin ist so redend gemacht, daß man dieselbe gleichsam den Gott des Krieges bitten höret: Wüte nicht mit grausamer Rache wider die Laster; sie sind gestraft.

Daniel Grans ganze Arbeit an der Cuppola ist eine Allegorie auf die Kaiserliche Bibliothek, und alle seine Figuren sind gleichsam Zweige von einem einzigen Stamme. Es ist ein malerisches Heldengedicht, welches nicht von den Eiern der Leda anfängt, sondern wie Homer vornehmlich nur den Zorn des Achilles besinget, so verewiget des Künstlers Pinsel nur allein des Kaisers Sorgfalt für die Wissenschaften. Die Anstalten zum Baue der Bibliothek hat der Künstler also vorgestellet.

Die kaiserliche Majestät erscheinet unter einer sitzenden weiblichen Figur mit einem kostbaren Hauptschmucke, auf deren Brust ein goldenes Herz an einer Kette hänget, als ein Bild des guttätigen Herzens dieses Kaisers. Mit dem Befehlsstabe gibt diese Figur den Befehl zum Baue. Unter ihr sitzet ein Genius mit Winkel, Palette und Eisen; ein anderer schwebet über ihr mit dem Bilde der drei Grazien, welche auf den guten Geschmack in dem ganzen Baue deuten. Neben der Hauptfigur sitzet die allgemeine Freigebigkeit mit einem angefüllten Beutel in der Hand, und unter derselben ein Genius mit der Tafel des römischen Congiarii, und hinter derselben die österreichische Freigebigkeit mit gewürkten Lerchen in ihren Mantel. Aus dem Horne des Überflusses fangen etliche Genii die ausgeschütteten Schätze und Belohnungen auf, um dieselbe denen um Künste und Wissenschaften, sonderlich um die Bibliothek verdienten Männern auszuteilen. Auf die befehlende Person richtet die persönlich gemachte Befolgung des gegebenen Befehls ihr Gesicht, und drei Kinder halten das Modell des Gebäudes. Neben dieser Figur stehet ein alter Mann, der auf einer Tafel den Bau ausmißt, und unter ihm ein Genius mit einem Senkbleie, zur Vorstellung der eingerichteten Befolgung. Zur Seite des Alten sitzet die sinnreiche Erfindung mit dem Bilde der Isis in der rechten Hand, und mit einem Buche in der Linken, die Natur und Wissenschaft als Quellen der Er-

findung anzuzeigen, deren schwere Auflösungen das Bild
eines Sphinx, welches vor ihr lieget, abbildet.

Die Vergleichung dieses Werks mit den großen Plafond
von Lemoyne zu Versailles, die ich in meiner Schrift gemacht habe, ist bloß als zwischen den neuesten und größten
Arbeiten unserer Zeiten in Deutschland und Frankreich an-
gestellet. Die große Galerie des erwähnten Lustschlosses von
Charles Lebrun gemalet, ist ohne Zweifel das Höchste in der
dichterischen Malerei, was nach dem Rubens ausgeführet
worden, und Frankreich kann sich rühmen, daß es an dieser
und der Luxemburgischen Galerie die gelehrtesten Werke
der Allegorie in der Welt habe.

Die Galerie von Lebrun stellet die Geschichte Lud-
wigs XIV. vom Pyrenäischen bis zum Nimwegischen Frieden
vor in neun großen und achtzehn kleinen Feldern. Dasjenige Gemälde, wo der König den Krieg wider Holland
beschließt, enthält allein eine sinnreiche und hohe Anwendung beinahe der ganzen Mythologie, und ist von Simoneau
dem Ältern gestochen. Der Reichtum desselben erfordert eine
Beschreibung, die für eine kleine Schrift zu stark werden
würde: man urteile aus ein paar kleinern Kompositionen
unter diesen Gemälden, was der Künstler imstande gewesen
zu denken und auszudrücken. Er malete den berühmten
Übergang der französischen Völker über den Rhein. Sein
Held sitzet auf einem Kriegeswagen mit einem Donnerkeile
in der Hand, und Herkules, als ein Bild des heroischen
Muts, treibet den Wagen mitten durch die unruhigen Wellen.
Die Figur, welche Spanien vorstellet, wird von dem Strome
mit fortgerissen: der Gott des Rheins ist bestürzt und läßt
sein Ruder fallen: die Viktorien kommen herzugeflogen,
und halten Schilder, auf welche die Namen der Städte, die
nach diesem Übergange erobert sind, angedeutet worden.
Europa siehet voller Verwunderung zu.

Eine andere Vorstellung betrifft den Friedensschluß. Holland läuft, ohnerachtet es durch den Reichsadler beim Rocke
zurückgehalten wird, dem Frieden entgegen, welcher vom

Himmel herabkömmt, umgeben mit den Geniis der Scherze und des Vergnügens, die allenthalben Blumen ausstreuen. Die Eitelkeit mit Pfauenfedern gekrönt sucht Spanien und Deutschland zurückzuhalten, diesem mit ihnen verbundenen Staate zu folgen; aber da sie die Höhle sehen, wo für Frankreich und Holland Waffen geschmiedet wurden, und die Fama in den Lüften höreten, die sie bedrohet, so lenken sie sich gleichfalls zum Frieden. Das erste von diesen zwei Bildern ist an Höhe mit Homers berühmter Beschreibung von Neptuns Fahrt auf dem Meere, und dem Sprunge der unsterblichen Pferde desselben zu vergleichen.

Nach dergleichen großen Beispielen wird es dennoch der Allegorie in der Malerei nicht an Gegnern fehlen, so wie es der Allegorie im Homer schon im Altertume ergangen ist. Es gibt Leute von so zärtlichen Gewissen, daß sie die Fabel neben der Wahrheit gestellet, nicht ertragen können: eine einzige Figur eines Flusses auf einem sogenannten heiligen Vorwurfe ist vermögend ihnen Ärgernis zu geben. Poussin wurde getadelt, weil er, auf seiner Erfindung Moses, den Nil persönlich gemacht hatte. Eine noch stärkere Partei hat sich wider die Deutlichkeit der Allegorie erkläret; und in diesem Punkte hat Lebrun ungeneigte Richter gefunden und findet sie noch itzo. Aber wer weiß nicht, daß Zeit und Verhältnis mehrenteils Deutlichkeit und das Gegenteil zu machen pflegt? Da Phidias seiner Venus zuerst eine Schildkröte zugegeben, waren vielleicht wenige von der Absicht des Künstlers unterrichtet, und derjenige, welcher ebendieser Göttin zuerst Fesseln angeleget, hat viel gewaget. Mit der Zeit wurden diese Zeichen so bekannt als es die Figur war, welcher sie beigeleget worden. Aber die ganze Allegorie hat, wie Plato von der Dichtkunst überhaupt saget, etwas Rätselhaftes, und ist nicht für jedermann gemacht. Wenn die Besorgung, denen undeutlich zu sein, die ein Gemälde wie ein Getümmel von Menschen ansehen, den Künstler bestimmen sollte, so würde er auch alle außerordentliche fremde Ideen ersticken müssen. Die Absicht des berühmten Federigo

Baroccio mit einer Kirsche auf einem Märtyrertod des
hl. Vitalis, die ein junges Mädchen über einen Specht hielt,
der nach derselben schnappete, war notwendig sehr vielen
ein Geheimnis. Die Kirsche bedeutete die Jahrszeit, in welcher der Heilige seinen Geist aufgegeben hatte.

Alle große Maschinen und Stücke eines öffentlichen Gebäudes, Palastes etc. erfordern billig allegorische Malereien.
Das, was groß ist, hat einerlei Verhältnis: eine Elegie ist
nicht gemacht, große Begebenheiten in der Welt zu besingen.
Ist aber eine jede Fabel eine Allegorie zu ihrem Orte? Sie
hat es weniger Recht zu sein, als der Doge verlangen könnte
dasjenige in Terraferma vorzustellen, was er zu Venedig ist.
Wenn ich richtig urteile, so gehöret die Farnesische Galerie
nicht unter die allegorischen Werke. Vielleicht habe ich dem
Annibale an diesem Orte in meiner Schrift zu viel getan,
wenn die Wahl nicht bei ihm gestanden: man weiß, daß der
Herzog von Orleans vom Coypel die Geschichte des Äneas
in seine Galerie verlanget.

Des Rubens Neptun auf der Königlichen Galerie zu Dresden, war ehemals für den prächtigen Einzug des Infant
Ferdinands von Spanien, als Gouverneur der Niederlande,
in Antwerpen gemacht; und daselbst war es an einer Ehren-
pforte ein allegorisches Gemälde. Der Gott des Meers, der
beim Vergil den Winden Frieden gebietet, war dem Künstler ein Bild der nach ausgestandenen Sturm glücklichen
Fahrt und Anländung des Prinzen in Genua. Itzo aber kann
es weiter nichts, als den Neptun beim Vergil vorstellen.

Vasari hat nach der gleichsam bekannten und angenom-
menen Absicht bei Gemälden an Orten, dergleichen ich nam-
haft gemacht habe, geurteilt, wenn er in Raffaels bekann-
tem Gemälde im Vatikan, welches unter dem Namen der
Schule zu Athen bekannt ist, eine Allegorie finden wollen;
nämlich die Vergleichung der Weltweisheit und Sterndeu-
tung mit der Theologie: da man doch nichts weiter in demselben zu suchen hat, als was man augenscheinlich siehet, das
ist, eine Vorstellung der Akademie zu Athen.

Im Altertume hingegen war eine jede Vorstellung der Geschichte einer Gottheit in dem ihr geweiheten Tempel auch zugleich als ein allegorisches Gemälde anzusehen, weil die ganze Mythologie ein Gewebe von Allegorie war. Homers Götter, sagt jemand unter den Alten, sind natürliche Gefühle der verschiedenen Kräfte der Welt; Schatten und Hüllen edler Gesinnungen. Für nichts anders sahe man die Liebeshändel des Jupiters und der Juno an einem Plafond eines Tempels dieser Göttin zu Samos an. Durch den Jupiter wurde die Luft und durch die Juno die Erde bezeichnet.

Endlich muß ich mich über die Vorstellung der Widersprüche in den Neigungen des atheniensischen Volks, von der Hand des Parrhasios, erklären. Ich will zugleich einen Fehler anmerken, den ich in meiner Schrift begangen habe: an die Stelle dieses Malers ist in der Schrift Aristides gesetzt[31], welchen man insgemein den Maler der Seele hieß. In dem Sendschreiben hat man sich den Begriff von besagtem Gemälde sehr leicht und bequem gemacht: man teilet es zu mehrerer Deutlichkeit in verschiedene Gemälde ein. Der Künstler hat gewiß nicht so gedacht: denn sogar ein Bildhauer, Leochares, machte eine Statue des atheniensischen Volks, so wie man einen Tempel unter diesem Namen hatte, und die Gemälde, deren Vorwurf das Volk zu Athen war, scheinen wie des Parrhasios Werk ausgeführet gewesen zu sein. Man hat noch keine wahrscheinliche Komposition desselben entwerfen können, oder da man es mit der Allegorie versuchet, so ist eine schreckliche Gestalt erschienen, wie diejenige ist, die uns Tesoro malet. Das Gemälde des Parrhasios wird allezeit ein Beweis bleiben, daß die Alten gelehrter als wir in der Allegorie gewesen.

Meine Erklärung über die Allegorie überhaupt, begreift zugleich dasjenige in sich, was ich über die Allegorie in Verzierungen sagen könnte: da aber der Verfasser des Sendschreibens besondere Bedenken über dieselbe angebracht hat, so will ich diesen Punkt wenigstens berühren.

In allen Verzierungen sind die beiden vornehmsten Gesetze: Erstlich, der Natur der Sache und dem Orte gemäß, und mit Wahrheit; und zweitens, nicht nach einer willkürlichen Phantasie zu zieren.

Das erste Gesetz, welches allen Künstlern überhaupt vorgeschrieben ist, und von ihnen verlanget, Dinge dergestalt zusammenzustellen, daß das eine auf das andere eine Verhältnis habe, will auch hier eine genaue Übereinstimmung des Verzierten mit den Zieraten.

– Non ut placidis coeant immitia –
Hor.[32]

Das Unheilige soll nicht zu dem Heiligen, und das Schreckhafte nicht zu dem Erhabenen gestellet werden; und aus ebendiesem Grunde verwirft man die Schafsköpfe in den Metopen der dorischen Säulen an der Kapelle des Luxemburgischen Palais in Paris.

Das zweite Gesetz schließt eine gewisse Freiheit aus, und schränkt Baumeister und Verzierer in viel engere Grenzen ein als selbst die Maler. Dieser muß sich zuweilen sogar nach der Mode in historischen Stücken bequemen, und es würde wider alle Klugheit sein, wenn er sich mit seinen Figuren in seiner Einbildung allezeit nach Griechenland versetzen wollte. Aber Gebäude und öffentliche Werke, die von langer Dauer sein sollen, erfordern Verzierungen, die einen längern Perioden als Kleidertrachten haben, das ist, entweder solche, die sich viele Jahrhunderte hindurch in Ansehen erhalten haben und bleiben werden, oder solche, die nach den Regeln, oder nach dem Geschmacke des Altertums gearbeitet worden; widrigenfalls wird es geschehen, daß Verzierungen veralten und aus der Mode kommen, ehe das Werk, wo sie angebracht sind, vollendet worden.

Das erste Gesetz führet den Künstler zur Allegorie: das zweite zur Nachahmung des Altertums; und dieses gehet vornehmlich die kleinern Verzierungen an.

Kleinere Verzierungen nenne ich diejenigen, welche teils

kein Ganzes ausmachen, teils ein Zusatz der größeren sind. Muscheln sind bei den Alten nirgend, als wo es der Fabel, wie bei der Venus und den Meergöttern, oder wo es dem Orte gemäß gewesen, wie in Tempeln des Neptuns geschehen, angebracht worden: Man glaubt auch, daß alte Lampen mit Muscheln gezieret, in Tempeln dieser Gottheit gebraucht worden sind. Sie können also an vielen Orten schön ja bedeutend sein; wie in den Festons an dem Rathause zu Amsterdam.

Die Schaf- und Stierköpfe geben sowenig eine Rechtfertigung des Muschelwerks, wie der Verfasser des Sendschreibens vielleicht glaubt, daß sie vielmehr den Mißbrauch desselben dartun können. Diese von der Haut entblößten Köpfe hatten nicht allein ein Verhältnis zu den Opfern der Alten; sondern man glaubt auch, sie hätten die Kraft dem Blitze zu widerstehen, und Numa wollte hierüber einen besondern Befehl vom Jupiter bekommen haben. Das Kapital einer korinthischen Säule kann ebensowenig zu dem Muschelwerk, als ein Beispiel eines scheinbar ungereimten Zierats gesetzt werden, der durch die Länge der Zeit Wahrheit und Geschmack erhalten. Der Ursprung dieses Kapitals scheinet weit natürlicher und vernünftiger zu sein, als Vitruvs Angaben ist. Diese Untersuchung aber gehöret in ein Werk der Baukunst. Pococke, welcher glaubt, daß die korinthische Ordnung vielleicht nicht sonderlich bekannt gewesen, da Perikles den Tempel der Minerva gebauet, hätte sich erinnern sollen, daß dieser Göttin ihren Tempeln dorische Säulen gehören, wie Vitruv lehret.

Man muß in diesen Verzierungen so wie überhaupt in der Baukunst verfahren. Diese erhält eine große Manier, wenn die Einteilung der Hauptglieder an den Säulenordnungen aus wenig Teilen bestehet; wenn dieselben eine kühne und mächtige Erhobenheit und Ausschweifung erhalten. Man gedenke hierbei an die kannelierten Säulen am Tempel des Jupiters zu Agrigent, in deren einzigem Reife ein Mensch füglich stehen konnte. Diese Verzierungen sollen nicht allein an sich wenig sein, sondern sie sollen auch aus wenig Teilen bestehen, und diese Teile sollen groß und frei ausschweifen.

Das erste Gesetz (um wieder auf die Allegorie zu kommen) könnte in sehr viel subalterne Regeln zergliedert werden: die Beobachtung der Natur der Sachen aber und der Umstände ist allezeit das allgemeine Augenmerk der Künstler; und was die Beispiele betrifft, so scheinet hier der Weg der Widerlegung lehrreicher als der Weg der Vorschrift.

Arion auf einem Delphine reitend[33], so wie er als ein Gemälde zu einer Sopraporte in einem neurn Werke der Baukunst, wiewohl nicht mit Vorsatz, wie es scheinet, angebracht ist, würde nach der gewöhnlichen Deutung nur allein in Sälen und Zimmern eines Dauphin von Frankreich, dem Orte gemäß sein[34]: an allen Orten aber, wo dieses Bild nicht entweder auf Menschenliebe, oder auf Hülfe und Schutz, welchen Künstler, wie Arion finden, ziehen kann, würde es nicht bedeutend sein. In der Stadt Tarent hingegen könnte ebendieses Bild, doch ohne Leier, noch itzo, an allen öffentlichen Gebäuden seinen Ort zieren: denn die alten Tarentiner, die des Neptuns Sohn Taras vor ihren Erbauer hielten, prägten denselben, wie er auf einem Delphine ritt, auf ihre Münzen.

Man hat wider die Wahrheit gehandelt in den Verzierungen eines Gebäudes, an dessen Aufführung eine ganze Nation Teil hat; an dem Palais Blenheim des Herzogs von Marlborough, wo über zwei Portale ungeheure Löwen von Stein gehauen liegen, welche einen kleinen Hahn in Stücken reißen: die Erfindung ist nichts als ein sehr gemeines Wortspiel.

Es ist nicht zu leugnen, man hat eins oder ein paar Beispiele von ähnlich scheinenden Gedanken aus dem Altertume, wie die Löwin auf dem Grabmale der Liebste des Aristogeitons, mit Namen Leaina[35] war, welches dieser Person als eine Belohnung aufgerichtet wurde, wegen der bezeigten Beständigkeit in der Marter des Tyrannen, um von ihr ein

Geständnis der Mitverschwornen wider ihn zu erpressen. Ich weiß nicht, ob dieses Grabmal zur Rechtfertigung der Wortspiele in neueren Verzierungen dienen könnte. Die Liebste des Märtyrers der Freiheit zu Athen war eine Person von berüchtigten Sitten, deren Namen man Bedenken trug auf ein öffentliches Denkmal zu setzen. Eine gleiche Beschaffenheit hat es mit den Eidechsen und Fröschen an einem Tempel, wodurch die beiden Baumeister Sauros und Batrachos[36] ihre Namen, die sie nicht offenbar andeuten durften, zu verewigen suchten. Gedachte Löwin hatte keine Zunge und dieser Gedanke gab der Allegorie Wahrheit. Die Löwin, welche auf der berühmten Lais Grab gesetzt wurde, war vermutlich von jener eine Kopie, und hielt hier mit den Vorderfüßen einen Widder, als ein Gemälde ihrer Sitten. In übrigen wurde auf dem Grabmal tapferer Leute insgemein ein Löwe gesetzt.

Es ist zwar nicht zu verlangen, daß alle Verzierungen und Bilder der Alten auch sogar auf ihren Vasen und Geräte allegorisch sein sollen. Die Erklärung von vielen derselben würde auch entweder sehr mühsam werden, oder auf bloßen Mutmaßungen beruhen. Ich unterstehe mich nicht zu behaupten, daß zum Exempel eine irdene Lampe in der Gestalt eines Ochsenkopfs eine immerwährende Erinnerung nützlicher Arbeiten bedeute, so wie das Feuer ewig ist. Ebensowenig möchte ich hier die Vorstellung eines Opfers des Pluto und der Proserpine suchen. Das Bild aber eines trojanischen Prinzen, den Jupiter entführt und ihn zu seinen Liebling erwählet, war in dem Mantel eines Trojaners von großer und rühmlicher Deutung; und also eine wahre Allegorie, welche man in dem Sendschreiben nicht hat finden wollen. Die Bedeutung der Vögel, die von Trauben fressen, scheinet einem Aschentopfe ebenso gemäß zu sein, als es der junge Bacchus, den Merkur der Leukothea zu säugen überbringet, auf einer großen marmornen Vase von dem Athenienser Salpion gearbeitet, ist. Die Vögel können den Genuß des Vergnügens vorstellen, welches der Verstorbene in den ely-

säischen Feldern haben wird: so wie dieses nach der herrschenden Neigung im Leben zu geschehen pflegte: man
weiß, daß Vögel ein Bild der Seele waren. Man will auch
bei einem Sphinx auf einem Becher des Künstlers Absehen
auf die Begebenheiten des Ödipus in Theben, als dem Vaterlande des Bacchus, dem der Becher geweihet sein sollen, finden. Die Eidechse aber auf einem Trinkgeschirre des Mentors
kann den Besitzer desselben anzeigen, welcher vielleicht
Sauros geheißen hat.

Ich glaube, man habe Ursach in den mehresten Bildern
des Altertums Allegorien zu suchen, wenn man erwäget,
daß sie sogar allegorisch gebauet haben. Ein solches Werk
war die den Sieben Freien Künsten geweihete Galerie zu
Olympia, in welcher ein abgelesenes Gedicht durch den
Widerhall siebenmal wiederholet wurde. Ein Tempel des
Merkurs, der anstatt der Säulen, auf Hermen, oder auf
Thermen, wie man itzo spricht, ruhete[37], auf einer Münze
Kaisers Aurelianus, kann einigermaßen mit hiehergehören.
In dem Fronton ist ein Hund, ein Hahn und eine Zunge:
Figuren deren Auslegung bekannt ist.

Noch gelehrter war der Bau des Tempels der Tugend und
der Ehre welchen Marcellus unternahm. Da er die Beute,
welche er in Sizilien gemacht hatte, hierzu bestimmete,
wurde ihm sein Vorhaben durch die Oberpriester, deren
Gutachten er vorher einholete, untersaget, unter dem Vor-
wande, daß ein einziger Tempel nicht zwo Gottheiten fassen
könnte. Marcellus ließ also zwei Tempel nahe aneinander
bauen, dergestalt, daß man durch den Tempel der Tugend
gehen mußte, um in den Tempel der Ehre zu gelangen; um
dadurch zu lehren, daß man allein durch Ausübung der
Tugend zur wahren Ehre geführet werde. Dieser Tempel
war vor der Porta Capena. Es fällt mir hierbei ein ähnlicher
Gedanke ein. Die Alten pflegten Statuen von häßlichen Sa-
tyrs zu machen, welche hohl waren: wenn man sie öffnete,
zeigten sich kleine Figuren der Grazien. Wollte man nicht
dadurch lehren, daß man nicht nach dem äußeren Scheine

urteilen solle, und daß dasjenige, was der Gestalt abgehet, durch den Verstand ersetzet werde?

Ich befürchte, daß einige Bedenken in dem Sendschreiben wider meine Schrift von mir können übergangen worden sein, auf die ich zu antworten gewillet war. Ich entsinne mich hier auf die Kunst der Griechen aus blauen Augen schwarze zu machen: Dioskurides ist der einzige Skribent, der von derselben Meldung getan hat. Es ist in dieser Kunst auch in neuern Zeiten ein Versuch geschehen. Eine gewisse Gräfin in Schlesien war eine bekannte Schönheit unserer Zeiten: man fand sie vollkommen; nur hätten einige gewünscht, daß sie statt der blauen Augen schwarze gehabt hätte. Sie erfuhr den Wunsch ihrer Anbeter, und wendete alle Mittel an, die Natur zu ändern, und es gelung ihr: sie bekam schwarze Augen; wurde aber blind.

Ich habe mir selbst und vielleicht auch dem Sendschreiben kein Genüge getan: Allein die Kunst ist unerschöpflich, und man muß nicht alles schreiben wollen. Ich suchte mich in der mir vergönneten Muße angenehm zu beschäftigen, und die Unterredungen mit meinem Freunde, Herrn Friedrich Oeser, einem wahren Nachfolger des Aristides, der die Seele schilderte, und für den Verstand malete, gaben zum Teil hierzu die Gelegenheit. Der Name dieses würdigen Künstlers und Freundes soll den Schluß meiner Schrift zieren.

ANMERKUNGEN

Gedanken über die Nachahmung der griechischen Werke

1. Es handelt sich um Gemälde aus der Sammlung Rudolfs II., die 1648 von den Schweden in Prag erobert und nach Stockholm gebracht wurden. Vgl. S. 45 f. und 75 f.
2. Gemeint sind August der Starke und sein Sohn Friedrich August; diesem war die vorliegende Schrift gewidmet.
3. Vgl. S. 130, Anm. 18.
4. Vergil, *Aeneis* I 498–504, und Homer, *Odyssee* VI 102–109.
5. Polyklet, griechischer Bildhauer des 5. Jahrhunderts vor Christus, der einen Kanon für die idealen Proportionen des schönen menschlichen Körpers in einer Schrift darlegte und in der Statue des *Doryphoros* (Speerträgers) verkörperte. (Vgl. die Werkmonographie von Thuri Lorenz. Reclams UB Nr. B 9116.)
6. Herkules war ein Sohn des Zeus, Iphikles ein Sohn des Amphitryon; Alkmene gebar sie nach der Überlieferung Hesiods als Zwillingsbrüder.
7. Die Bürger der süditalienischen Stadt Sybaris waren berüchtigt als verweichlichte Menschen.
8. Die Epinikien Pindars feierten Sieger der griechischen Wettspiele.
9. Claude Quillets lateinisches Lehrgedicht *Callipaedia* (1645) behandelt Methoden zur Zeugung schöner Kinder.
10. Wie schon Lessing in seinem *Laokoon* (Reclams UB Nr. 271 bis 271a/b. S. 212 f.) bemerkte, irrte Winckelmann, als er annahm, Sophokles habe unbekleidet auf der Bühne getanzt.
11. Antinous, ein schöner Jüngling aus Bithynien, war der Liebling des Kaisers Hadrian. Nach seinem Tode wurde er von Hadrian zum Gott erhoben. Zahlreiche Bildnisse von ihm sind erhalten.
12. Gemeint ist die Statue des Apollon von Belvedere, von Leochares aus dem 4. Jahrhundert vor Christus. Später in Rom widmete ihr Winckelmann eine Beschreibung, die, nach verschiedenen überlieferten handschriftlichen Fassungen, schließlich in seine *Geschichte der Kunst des Alterthums* einging.
13. »denen Prometheus mit wohlwollender Kunst Herzen aus besserem Stoff gebildet hat« Juvenal, *Sat.* XIV 34 f.

14. Auf der Insel Kos wurden Gewänder aus schleierartigem Gewebe hergestellt, die den Körper durchscheinen ließen.

15. Diese Statuen werden heute nicht mehr als Vestalinnen betrachtet, sondern als Grabmonumente von Frauen aus Herkulaneum. Diese Stadt war 79 nach Christus mit Pompeji von einem Vesuvausbruch verschüttet worden.

16. Ebenerdiger Saal.

17. Lorenzo Mattielli, 1688–1748, italienischer Bildhauer, der erst in Wien, nach 1743 in Dresden tätig war und dort u. a. die Statuen auf der Hofkirche geschaffen hatte.

18. Die Marmorgruppe, die den Laokoon und seine beiden Söhne umwunden von zwei Schlangen zeigt, wurde, wahrscheinlich im 1. Jahrhundert vor Christus, von Hagesandros, Polydoros und Athenodoros aus Rhodos geschaffen. Sie war in Rom aufgestellt und wurde dort 1506 wieder aufgefunden und in den Vatikan überführt. (Vgl. die Werkmonographie von Helmut Sichtermann in Reclams UB Nr. B 9101.) Da Vergil in seiner *Aeneis* den Todeskampf des Laokoon in ähnlicher Weise darstellt (Vergil, *Aeneis* II 213–224), wird vermutet, daß der Dichter die Skulptur kannte. Bei Vergil spielt sich der Kampf freilich unter dem »gräßlichen Schreien« Laokoons ab (Vergil, *Aeneis* II 222–224). Der »mißbilligende Seitenblick«, mit dem Winckelmann dies hier erwähnt, erregte den Widerspruch Lessings und ergab den Ausgangspunkt für dessen Schrift *Laokoon oder über die Grenzen der Malerei und Poesie* (a. a. O., besonders S. 6–12).

19. Jacopo Sadoleto widmete 1506 der soeben aufgefundenen Marmorgruppe das lateinische Gedicht *De Laocoontis statua*, in dem die Schmerzensäußerungen des Laokoon als Stöhnen (Z. 23 f., 52) und keuchendes Murmeln (Z. 28) beschrieben werden. Das Gedicht ist in einer Fußnote zu Lessings *Laokoon* abgedruckt (a. a. O. S. 55–57).

20. Philoktet, der den Bogen seines Freundes Herakles geerbt hatte, wurde auf der Fahrt der Griechen gegen Troja von einer Schlange gebissen und auf der Insel Lemnos ausgesetzt, da die Wunde unerträglichen Gestank verbreitete. Er lebte dort kümmerlich, bis Odysseus und Neoptolemos ihn und seinen Bogen nach Troja brachten. Sophokles' Tragödie *Philoktet* ist erhalten (Reclams UB Nr. 709); Lessing erörtert sie ausführlich in seinem *Laokoon* (a. a. O., besonders S. 28–40).

21. Metrodor von Athen, Maler und Philosoph, ging 168 vor Christus nach Rom, um die Kinder des L. Aemilius Paulus zu erziehen und als Maler dessen Triumph zu verherrlichen.

22. Parenthyrsis, eigentlich Parenthyrsos, war, wie schon Lessing feststellte (a. a. O. S. 208), ursprünglich ein Begriff der Rhetorik und bezeichnete übertriebenes, unpassendes Pathos.

23. Gegensatz, Kontrast. In der bildenden Kunst Pose mit betontem Gegensatz zwischen Stand- und Spielbein und entsprechend asymmetrischer Körperhaltung.

24. Ajax, stärkster und wildester griechischer Held im Trojanischen Krieg, Rivale des Odysseus, erschlug im Wahnsinn Viehherden und tötete sich selbst.

25. Kapaneus, einer der Sieben gegen Theben; bei der Belagerung der Stadt schleuderte ihn ein Blitz des Zeus von einer Sturmleiter.

26. »so daß jeder beliebige glaubt, er könne es genauso, und sich unter vielem Schweiß vergeblich abmüht, wenn er es auch versucht« Horaz, *Ars poetica* 240–243.

27. »wenn sie dann zufällig einen ehrwürdigen und verdienten Mann erblicken, schweigen sie und stehen mit gespitzten Ohren still« Vergil, *Aeneis* I 151 f.

28. Joseph Addisons Gedicht *The Campaign* (1704) feierte Marlboroughs Sieg bei Blenheim (Blindheim bei Höchstädt).

29. Die *Sixtinische Madonna* war 1753 nach Dresden gebracht worden.

30. Winckelmann konnte sich bei seiner Hypothese, Michelangelo habe die Konturen plastischer Modelle mit Hilfe eines Wasserkastens fixiert, lediglich auf eine Andeutung in Giorgio Vasaris *Vite de' Pittori* berufen, in der die Bezeichnung plastischer Umrisse durch eine Wasseroberfläche übrigens nur als bildhafter Vergleich erscheint. Das Verfahren, das hier so ausführlich beschrieben wird, ist daher wahrscheinlich eine reine Erfindung Winckelmanns oder dessen Freundes Adam Friedrich Oeser, wie schon Carl Justi vermutete (Carl Justi: *Winckelmann und seine Zeitgenossen.* 5. Aufl. Bd 1. Köln 1956, S. 474–481).

31. Die *Aldobrandinische Hochzeit*, ein Fresko des 1. Jahrhunderts nach Christus, wurde 1606 in Rom aufgefunden.

32. Gemeint sind die beiden Emblemsammlungen von Cesare Ripa: *Iconologia ovvero descrittione dell' imagini universali*

cavati dall' antichità (1593) und von Romeyn de Hooghe: *Hieroglyphica of Merkbeelden der oude volkeren* (1735, deutsch 1744 u. d. T.: *Hieroglyphica oder Denkbilder der alten Völker*).

33. Gemeint ist der Gemäldezyklus über das Leben der Maria de' Medici, den Rubens für das Palais du Luxembourg malte.

34. Daniel Gran, 1694–1757, Wiener Maler, ein Lehrer Oesers.

35. Mit seinem *Versuch einer Allegorie* (1766) erfüllte Winckelmann später selbst zum Teil den Wunsch, den er hier äußert.

36. Winckelmann spielt hier auf die Innendekoration des Rokoko an.

37. »Er versteht es, jeder Rolle das ihr Gemäße zuzuteilen« Horaz, *Ars poetica* 316.

38. »werden sinnlose Bilder erdichtet, wie Phantasien eines Fieberkranken« Horaz, *Ars poetica* 7 f.

39. »Reich an Grundbesitz, reich an zinsbringenden Kapitalien« Horaz, *Sat.* I 2,13 und *Ars poetica* 421.

40. Winckelmann hat hier die Dekorationsskulpturen im Sinn, die am Jagdschloß Hubertusburg angebracht wurden, nachdem die Entwürfe Oesers verworfen worden waren. Vgl. S. 73 f. und S. 134, Anm. 41.

Sendschreiben

1. Gemeint ist der Dresdner Galerieinspektor Matthias Oesterreich.

2. Gemeint ist Johann Gottfried Richter, Antiquarius im Münz- und Antiquitätenkabinett des sächsischen Kurprinzen Friedrich Christian.

3. »er ist erfahren und erkennt den Meister allein am Geruch.«

4. Gemeint ist Johann Cronawetter, Inspektor-Adjunkt der Dresdner Antikengalerie.

5. »der die Lebensweise und die Städte vieler Menschen gesehen hat« Horaz, *Ars poetica* 142.

6. Marmor vom Berg Lygdos auf Paros.

7. Margites: Held eines verlorengegangenen Spottgedichts, das Homer zugeschrieben wurde. Von ihm heißt es: »Viele Dinge verstand er, doch schlecht verstand er sie alle.«

8. Fußnoten.

9. Tatsächlich war dem *Sendschreiben* die *Nachricht von einer*

Mumie in dem Königlichen Cabinet der Alterthümer in Dreß-
den angefügt, die in unserer Ausgabe nicht abgedruckt wird.

10. »Wer den Geldbeutel verloren hat, folgt dir, wohin du willst«
    Horaz, *Epist.* II 2,40.

11. »es kommt mir mehr darauf an, daß die Gänge unseres Mah-
    les den Gästen gefallen als den Köchen.«

12. »Nicht ohne weiteres würde irgendein anderer dergleichen von
    mir erlangen« Horaz, *Epist.* II 2,13 f.

13. »Einen, der schielt, nennt sein Vater Blinzler, und wenn je-
    mand einen Sohn hat, der zu klein ist, nennt er ihn Küken«
    Horaz, *Sat.* I 3,44–46.

14. Wie Lessing bereits bemerkte (a. a. O. S. 97 f., Anm.), betrifft
    dies nicht den *Ialysos,* sondern den *Ruhenden Satyr* des Pro-
    togenes.

15. »ich gehe über Feuergluten, die unter trügerischer Asche lie-
    gen« Horaz, *Carm.* II 1,7 f., leicht variiert.

16. In dem didaktischen Gedicht *Le Siècle de Louis le Grand*
    (1687) und in den vierbändigen *Parallèles des Anciens et des*
    Modernes (1688–96) vertrat Charles Perrault die These, die
    moderne Kultur sei der antiken überlegen, womit er sich an
    einer langjährigen literarischen Debatte (Querelle des anciens
    et des modernes) beteiligte.

17. »und solch schönes Auge, grün und lachend und klar.«

18. Glykon, ein Bildhauer des 1. Jahrhunderts vor Christus,
    ist der Schöpfer des kolossalischen *Herakles Farnese,* einer
    Kopie des *Herakles* von Lysippos. Praxiteles ist ein berühmter
    Bildhauer des 4. Jahrhunderts vor Christus. Zu seinen Wer-
    ken, von denen zahlreiche Kopien erhalten sind, gehören der
    Hermes mit dem Dionysosknaben, der *Apollon Sauroktonos*
    (Eidechsentöter) und die *Aphrodite von Knidos.*

19. »die Glieder des unbesiegten Glykon« (eines Ringkämpfers)
    Horaz, *Epist.* I 1,30.

20. Adam Friedrich Oeser.

21. »daß ich selbst meinen eigenen Weinberg abholze« Horaz,
    Epist. II 1,220.

22. Dies ist ein Seitenhieb auf den Dresdner Galerieinspektor
    Oesterreich, der Winckelmanns Beschreibungen als einen Ein-
    griff in seine Domäne empfand.

23. »der einzelne kann Anrecht auf Gemeingut erwerben« Horaz,
    Ars poetica 131, leicht variiert.

24. »Aber von denen, die sich zur Arbeit anschicken, können vier Fünftel, bei Gott, nicht lesen.«

25. »damit man Tüten hat für Makrelen und Pfeffer«.

26. La Rochefoucauld: *Réflexions ou sentences et maximes morales.*

27. »Was du bewunderst, ist für andere lächerlich.«

28. »Flämischer Teint ist für das Gesicht eines Römers abscheulich« Properz, *Eleg.* II 18b,4.

29. »die das Gedeihen Roms und Latiums begünstigen«.

30. »Aber hier ist der, den du eben so schmählich beschimpft hast.«

31. Alexander Pope: *Essay on Criticism* (1711).

32. Dieses Gemälde war der Dresdner Gemäldegalerie zum Kauf angeboten, von dieser aber zurückgewiesen worden.

33. »würdig, die Göttinnen an dem Berge Ida [beim Urteil des Paris] zu übertreffen« Ovid, *Ars amat.* I 684, leicht variiert.

34. Albrecht von Haller: *Antwort an Herrn Johann Jakob Bodmer.* V. 60, leicht variiert.

35. »Ich kann nicht darlegen, welcher Art sie sind, und fühle es nur« Juvenal, *Sat.* VII 56, leicht variiert.

36. »Nur wenige können die wahren Werte von deren Gegenteil unterscheiden, selbst wenn die Wolke des Irrtums beseitigt ist« Juvenal, *Sat.* X 2–4.

37. »dann ist er verständig und verfährt wie ich und urteilt mit Jupiters Gunst« Horaz, *Epist.* II 1,68.

38. Die Folge langer und kurzer Silben in diesen Namen altrömischer Helden macht es unmöglich, sie in einen lateinischen Hexameter einzufügen.

39. »und was ein Fehler war, hört mit der Zeit auf, einer zu sein« Ovid, *Ars amat.* II 654.

40. »die schuppigen Rücken der gefleckten Eidechse«.

41. »wie Diana ihre Reigen anführt und tausend Baumnymphen ihr folgen und sich hier und dort zusammendrängen« Vergil, *Aeneis* I 498–500, gekürzt. Auf diese Stelle wird schon in den *Gedanken*, S. 4 angespielt. Oesers Entwurf für die Hubertusburger Dekorationen stellte Diana mit den Nymphen dar (vgl. S. 132, Anm. 40).

42. »die jedermann im Publikum lesen und verschleißen kann« Horaz, *Epist.* II 1,92, leicht variiert.

43. »und diese Freiheit nehmen wir in Anspruch und räumen wir umgekehrt anderen ein« Horaz, *Ars poetica* 11.

Erläuterung

1. Winckelmann hatte das Manuskript zur zweiten Auflage der *Gedanken über die Nachahmung* vor der Abreise nach Rom im Herbst 1755 vorbereitet und in Dresden zurückgelassen.

2. Vielleicht eine Anspielung auf 1. Kön. 8, 27: »Siehe, der Himmel und aller Himmel Himmel können dich nicht fassen; wie sollte es denn dies Haus tun, das ich gebaut habe?«

3. Der aufrührerische Thersites wird von Homer als abschreckend häßlich und lächerlich geschildert.

4. »der unglückselige Theseus sitzt und ewig sitzen wird« Vergil, *Aeneis* VI 617 f.

5. Winckelmann verweist hier in einer Fußnote auf einige kirchengeschichtliche Werke, die seine Behauptung bestätigen.

6. Die Gruppe des *Farnesischen Stiers* zeigt Dirke, die von Amphion und Zethos an die Hörner eines wilden Stiers gebunden wird. Die 1456 in den Caracallathermen gefundene Gruppe ist wahrscheinlich die Kopie einer älteren Skulptur, von der Plinius berichtet, sie sei in allen Einzelheiten aus einem einzigen Marmorblock gehauen, wobei der erwähnte Strick besondere Kunstfertigkeit erforderte.

7. »O der elende Idiot, dem sein bißchen Witz verfault ist!«

8. Der holländische Anatom und Dramatiker Govert Bidloo veröffentlichte 1685 eine *Anatomia humani corporis* mit Tafeln von Gerard de Lairesse.

9. Vgl. S. 60.

10. Adam Friedrich Oeser.

11. Christian Ludwig von Hagedorn: *Lettre à un amateur de la peinture avec des éclaircissements historiques* (1755).

12. Gemeint ist die *Sixtinische Madonna*.

13. Der Aufseher der Dresdner Galerien und Kabinette, Carl Heinrich von Heinecken.

14. »er verfehlt das Ideale des Werkes, weil er es nicht versteht, ein Ganzes zu schaffen« Horaz, *Ars poetica* 34 f., leicht variiert.

15. Lessing, der in seinem *Laokoon* die These widerlegte, die Malerei habe ebenso weite Grenzen wie die Dichtung, korrigiert dort (a. a. O. S. 207 f.) auch Winckelmanns Deutung der Äußerung Longins.

16. Gott lebt »so ganz, so vollkommen in einem Haar wie in

einem Herzen, so ganz, so vollkommen im nichtswürdigen Menschen, der trauert, wie im begeisterten Seraph, der anbetet und brennt« Alexander Pope: *An Essay on Man.* Epist. I 276–278.

17. Freigebigkeit.

18. Dies zielt auf die seit dem 16. Jahrhundert verbreiteten Embleme, die jeweils aus einem Motto, einem Bild und einem Epigramm bestehen.

19. Congiarium: Öffentliche Spende römischer Magistrate, die unter einer Tafel verteilt wurde.

20. Vgl. S. 131 f., Anm. 32.

21. Die Vestalin Tuccia bewies ihre Unschuld, indem sie mit einem Sieb Wasser aus dem Tiber schöpfte.

22. Vgl. S. 131 f., Anm. 32.

23. »dies ist, wie man sagt, der Sitz der leeren Träume, sie hängen unter allen Blättern« Vergil, *Aeneis* VI 283 f., leicht variiert.

24. »Ist der erste abgebrochen, so wächst ein anderer nach« Vergil, *Aeneis* VI 143.

25. Die vereitelte List des Proteus.

26. »im wilden Strudel zeigen sich nur wenige Schwimmer« Vergil, *Aeneis* I 118.

27. Gemeint ist die Zeitschrift »The Spectator« (1711/12) von Joseph Addison und Richard Steele.

28. »Ein Denkmal, dauernder als Erz« Horaz, *Carm.* III 30,1.

29. Lanze.

30. »jeder, der als Mann zu dieser Quelle kommt, verläßt sie als halber Mann: wenn er das Wasser berührt, verweichlicht er plötzlich« Ovid, *Metamorphosen* IV 385 f.

31. In der hier abgedruckten zweiten Auflage ist dieser Fehler korrigiert (vgl. S. 35).

32. »Daß sich nicht Hartes mit Sanftem paart« Horaz, *Ars poetica* 12.

33. Der Sänger Arion wurde, als ihn auf einer Seereise die Schiffer ausrauben und über Bord werfen wollten, von einem Delphin an Land getragen.

34. Dauphin, der Titel des französischen Thronfolgers, hat im Lateinischen die Form Delphinus.

35. Aristogeiton unternahm 514 vor Christus mit Harmodios einen Anschlag auf die athenischen Tyrannen Hippias und Hippar-

chos. Hippias entkam und ließ Aristogeiton hinrichten. Leaina, griech.: Löwin.

36. Sauros, griech.: Eidechse; Batrachos, griech.: Frosch.

37. Der römische Gott Merkur wurde mit dem griechischen Hermes gleichgesetzt, mit dessen Namen auch die Hermen bezeichnet wurden, Statuen, an denen nur der Kopf ausgearbeitet, der Körper aber durch einen viereckigen Schaft angedeutet war.

ZUR TEXTGESTALT

Die vorliegende Ausgabe bietet den Text der zweiten Auflage (*Gedanken über die Nachahmung der Griechischen Werke in der Malerey und Bildhauerkunst. Zweyte vermehrte Auflage. Dresden, Leipzig: Walther 1756*). Deren Textgestalt wurde im Lautstand (mit Ausnahme der Eigennamen), in der Interpunktion, in den Hervorhebungen und in der Absatzeinteilung bewahrt. Modernisiert und normalisiert wurden die Orthographie vor allem der Eigennamen sowie die Abkürzungsformen. Weggelassen wurden sämtliche Fußnoten des Autors und die *Nachricht von einer Mumie in dem Königlichen Cabinet der Alterthümer in Dreßden*, die dem *Sendschreiben* beigefügt war.

Folgende Stellen der zweiten Auflage, die als Druckfehler zu betrachten sind, wurden durch die entsprechenden Lesarten der ersten Auflage von 1755 ersetzt:

S. 5, 23 f. von den siebenden – S. 5, 27 welche von beyden – S. 8, 14 Lust und und – S. 10, 1 sehet konte – S. 15, 29 entfernt don – S. 22, 11 das Gesetze – S. 26, 25 den Marmor – S. 26, 27 niedrigen – S. 28, 8 welchen man – S. 29, 26 Wassersgefäßes – S. 30, 4 Seiten besselben – S. 33, 23 und einem – S. 38, 19 seiner Vorsicht

Weiterhin wurden folgende Stellen als Druckfehler betrachtet und sinngemäß korrigiert:

S. 5, 29 Nach diesen – S. 27, 35 oh- Besorgnis – S. 38, 33 fœnere – S. 41, 25 seinen Kransfiguration* – S. 56, 28 Kirche des des – S. 64, 10 f. Artzt = = fand* – S. 66, 30 Carcatiden – S. 72, 2 des, Liebhabers – S. 72, 33 Zierarthen – S. 74, 3 f. Ein Diana – S. 76, 31 fassen ꝛc. Man – S. 78, 31 Mich Deucht – S. 79, 3 Tone – S. 87, 30 f. ist. A – S. 91, 31 Sein Figuren – S. 96, 17 Gemälde nicht. – S. 97, 10 f. hat? Dieses – S. 98, 22 so gennantes – S. 102, 34 und sich – S. 106, 28 iene Statue –

" Korrekturen nach Winckelmanns Brief an Walther vom 7. Juli 1756 (Rehm/Diepolder, Bd 1, S. 238).

S. 107, 31 fliegen- Haaren – S. 109, 4 vorstellet – S. 109, 9
Parergon – S. 110, 30 Käisers – S. 111, 17 Hooghe – S. 112, 6
entferntenes – S. 115, 10 sagt er», – S. 116, 30 die die Laster
– S. 119, 3 gekrönnt – S. 119, 34 der Künstler – S. 120, 1
Martyrertod – S. 120, 26 Farth – S. 122, 14 f. dem Metopen
– S. 125, 21 f. zubehaupten – S. 125, 29 ein wahre

Diese Behandlung des Textes läßt Spracheigenheiten der
Zeit Winckelmanns hervortreten, die das heutige Deutsch
nicht mehr kennt: so etwa das Femininum »die Maße«, das
mittlerweile nur noch in Verbindungen wie »dermaßen« und
in süddeutschen Dialekten erhalten und sonst in das Neutrum
»das Maß« übergegangen ist, ähnlich »die Schwulst« und
»der Zeug«; oder die Verwendung des Fremdworts »Kontur«
als Maskulinum, die von Winckelmann ausgegangen zu sein
scheint und noch zur Zeit Goethes vorherrschte. Die meisten
Fälle, in denen die Rektion der Verben und Präpositionen
und die Flexion der Adjektive und Pronomina vom heutigen
Sprachgebrauch abweichen, verraten allerdings eher eine gewisse Unsicherheit Winckelmanns im Deutschen, die sich in
seinen späteren Schriften verlor.

Als vollständigste, freilich veraltete Ausgabe der Werke Winckelmanns ist zu nennen:

> Johann Winckelmann: Sämtliche Werke. Einzige vollständige Ausgabe. Von Joseph Eiselein. Bd 1–12. Donauöschingen: Verlag deutscher Classiker 1825–29.

Photomechanische Nachdrucke der Buchpublikationen Winckelmanns bietet die Reihe:

> Johann Joachim Winckelmann: Kunsttheoretische Schriften. Bd 1–6. Baden-Baden, Strasbourg: Heitz 1962–66 (= Studien zur deutschen Kunstgeschichte. Bd 330. 337–339. 343. 344).

Gründliche Bearbeitung macht die folgende Briefausgabe zu einer Fundgrube biographischen Materials:

> Johann Joachim Winckelmann: Briefe. (Kritisch-Historische Gesamtausgabe.) In Verbindung mit Hans Diepolder hrsg. von Walther Rehm. Bd 1–4. Berlin: de Gruyter 1952–57.

Die bis 1942 erschienene Literatur zu Winckelmann ist verzeichnet in:

> Hans Ruppert: Winckelmann-Bibliographie. Verzeichnis der Veröffentlichungen von und über Johann Joachim Winckelmann. In: Winckelmann-Gesellschaft Stendal. Jahresgabe 1942. Berlin: de Gruyter. S. 5–50.

Als Zeugnisse der Wirkung Winckelmanns auf die ihm folgende Generation sind die Würdigungen Herders und Goethes anzuführen:

> Johann Gottfried Herder: Denkmahl Johann Winckelmanns. In: Herders Sämmtliche Werke. Hrsg. von Bernhard Suphan. Bd 8. Berlin: Weidmann 1892. S. 437 bis 483.
>
> (Gekürzte Bearbeitung: Johann Winckelmann. Ebda. Bd 15. 1888. S. 36–50.)

Johann Wolfgang von Goethe: Winckelmann. In: Goethes Werke. Hrsg. im Auftrage der Großherzogin Sophie von Sachsen. Bd 46. Weimar: Böhlau 1891. S. 1–101.

Die umfassendste Biographie Winckelmanns, die vor allem Lebensumstände und Umwelt breit darstellt, ist nach wie vor:

Carl Justi: Winckelmann und seine Zeitgenossen. (5. Aufl. Hrsg. von Walther Rehm.) Bd 1–3. Köln: Phaidon-Verlag 1956.

Aus der weiteren Literatur zu Winckelmann seien hier nur einige Titel herausgegriffen:

Berthold Vallentin: Winckelmann. Berlin: Bondi 1931.
Gottfried Baumecker: Winckelmann in seinen Dresdner Schriften. Die Entstehung von Winckelmanns Kunstanschauung und ihr Verhältnis zur vorhergehenden Kunsttheoretik mit Benutzung der Pariser Manuskripte Winckelmanns dargestellt. Berlin: Junker und Dünnhaupt 1933.
Henry Caraway Hatfield: Winckelmann and his German critics 1755–1781. A prelude to the classical age. New York: King's Crown Press 1943 (= Columbia University Germanic Studies. New Series. Nr 15).
Ingrid Kreuzer: Studien zu Winckelmanns Aesthetik. Normativität und historisches Bewußtsein. Berlin: Akademie-Verlag 1959 (= Winckelmann-Gesellschaft Stendal. Jahresgabe 1959).
Walter Bosshard: Winckelmann. Aesthetik der Mitte. Zürich, Stuttgart: Artemis-Verlag (1960).

Folgende Werke behandeln Winckelmann im Zusammenhang übergreifender historischer Entwicklungen:

Ernst Cassirer: Freiheit und Form. Studien zur deutschen Geistesgeschichte. Berlin: Cassirer 1917.
Wilhelm Waetzoldt: Deutsche Kunsthistoriker. 2. unveränderte Aufl. Bd [1.] 2. (Berlin:) Hessling 1965.

E[liza] M[arian] Butler: The tyranny of Greece over Germany. A study of the influence exercised by Greek art and poetry over the great German writers of the eighteenth, nineteenth and twentieth centuries. Cambridge: University Press 1935.

Friedrich Meinecke: Die Entstehung des Historismus. Hrsg. und eingeleitet von Carl Hinrichs. München: Oldenbourg 1959.

Walther Rehm: Griechentum und Goethezeit. Geschichte eines Glaubens. 3. Aufl. Bern: Francke 1952.

Horst Rüdiger: Wesen und Wandlung des Humanismus. Hamburg: Hoffmann und Campe (1937) (= Europa-Bibliothek).

Walther Rehm: Götterstille und Göttertrauer. Aufsätze zur deutsch-antiken Begegnung. Bern: Francke 1951.

Armand Nivelle: Kunst- und Dichtungstheorien zwischen Aufklärung und Klassik. Berlin: de Gruyter 1960.

Schließlich sei auf die von der Winckelmann-Gesellschaft Stendal regelmäßig publizierten Jahresgaben hingewiesen.

1717 9. Dezember: Johann Joachim Winckelmann in Stendal als Sohn eines Schuhmachermeisters geboren.

1735/36 Schüler des Köllnischen Gymnasiums in Berlin.

1736/37 Schüler der Altstädtischen Schule in Salzwedel (Altmark).

1738–40 Theologiestudium in Halle.

1740/41 Hauslehrer Friedrich Georg Ludwig von Grollmanns in Osterburg bei Stendal.

1741/42 Studium der Medizin in Jena.

1742/43 Hauslehrer Friedrich Wilhelm Peter Lamprechts in Hadmersleben bei Magdeburg.

1743–48 Konrektor der Lateinschule in Seehausen (Altmark).

1748–54 Bibliothekar des Reichsgrafen Heinrich von Bünau in Nöthnitz bei Dresden.

1752 *Beschreibung der vorzüglichsten Gemählde der Dressdner Galerie* (Fragment, posthum veröffentlicht).

1754 *Gedanken vom mündlichen Vortrag der neueren allgemeinen Geschichte* (posthum veröffentlicht).

1754 11. Juni: Übertritt zum Katholizismus.

1754/55 Dresden.

1755 *Gedancken über die Nachahmung der Griechischen Wercke in der Mahlerey und Bildhauer-Kunst.*

1755 Herbst: Reise nach Rom.

1756 2. Auflage der *Gedanken über die Nachahmung* mit *Sendschreiben* und *Erläuterung.*

1757 Bibliothekar des Kardinals Archinto.

1758 Reisen nach Neapel und Florenz. – *Nachricht von den alten herkulanischen Schriften.*

1759 In Rom nach dem Tod Archintos Bibliothekar des Kardinals Albani. – *Erinnerung über die Betrachtung der Werke der Kunst. – Von der Grazie in Werken der Kunst. – Nachricht von dem berühmten Stoßischen Museo in Florenz. – Beschreibung des Torso im Bel-*

vedere zu Rom. – Anmerkungen über die Baukunst der alten Tempel zu Girgenti in Sicilien.

1760 *Description des pierres gravées du feu Baron de Stosch.*

1762 2. Reise nach Neapel. – *Anmerkungen über die Baukunst der Alten. – Sendschreiben von den Herculanischen Entdeckungen.*

1763 Ernennung zum Prefetto dell'Antichità di Roma und zum Scriptor linguae teutonicae an der Vaticana. – *Abhandlung von der Fähigkeit der Empfindung des Schönen in der Kunst, und dem Unterrichte in derselben.*

1764 3. Reise nach Neapel. – *Geschichte der Kunst des Alterthums. – Nachricht von den neuesten Herculanischen Entdeckungen.*

1765 Verhandlungen über eine Anstellung als Bibliothekar Friedrichs des Großen.

1766 *Versuch einer Allegorie, besonders für die Kunst.*

1767 4. Reise nach Neapel. – *Anmerkungen über die Geschichte der Kunst des Alterthums. – Monumenti antichi inediti.*

1768 Frühjahr: Reise nach Deutschland, die in Regensburg abgebrochen wird. Audienz bei Kaiserin Maria Theresia in Wien.

1768 8. Juni: Auf der Rückreise in Triest aufgehalten, wird Winckelmann von Francesco Arcangeli ermordet.

Johann Joachim Winckelmann gab den Anstoß zu einer geistigen Bewegung, die, in die verschiedensten Richtungen wirkend und mannigfach gebrochen, aus der Mitte des 18. Jahrhunderts bis in unsere Zeit hineinreicht. Der begeisterte und mahnende Hinweis auf die alten Griechen und ihre Kunst wurde zunächst, der ursprünglichen Absicht gemäß, von der zeitgenössischen Kunst und Kunstkritik aufgenommen; Winckelmanns Bild vom Griechentum gab der klassischen Dichtung Goethes und Schillers ihr Ideal und der Geschichtsphilosophie von Herder bis Hegel ihren Orientierungspunkt. Winckelmanns Forschungen wurden fortgesetzt von der deutschen klassischen Altertumswissenschaft, die, Philologie, Archäologie und Geschichtswissenschaft vereinigend, im 19. Jahrhundert freilich Winckelmanns Erkenntnisse weit überholte und seine Thesen zum guten Teil widerlegte, indem sie seine Methoden weiterentwickelte. Durch Wilhelm von Humboldt vermittelt, wurde der von Winckelmann neu begründete Humanismus zum Fundament der Gymnasialbildung, die Generationen deutscher Schüler prägte.

Die Vorstellung, daß all dies von einem Mann ausging, wird um so erstaunlicher, bedenkt man den mühseligen und steilen Weg, den Winckelmann zurückzulegen hatte, bis er die Höhe erreichte, wo sein Lebenswerk reifen konnte. 1717 als Sohn eines Flickschusters in Stendal geboren, mußte er schon einen ungewöhnlichen Aufschwung nehmen, um überhaupt die Lateinschule zu besuchen. Damit wich er aus der Bahn seines Herkommens und nahm, von Haus aus arm, auf Jahre hinaus noch größere Dürftigkeit auf sich. Als Kurrendesänger, Famulus und Hilfslehrer bestritt er den Schulbesuch, zunächst in Stendal, darauf in Berlin, schließlich in Salzwedel. Wohlwollende Lehrer förderten den ernsten und verständigen Schüler, der sich unter ihrer pedantisch trockenen Anleitung in die lateinische, später besonders in die griechische Literatur vertiefte. Sein Studium in Halle, wo er trotz seiner Armut recht gesellig lebte, galt nur der Form halber der Theologie, dem einzigen Fach, von dem er eine bürgerliche Lebensstellung erhoffen konnte. In Wirklichkeit erwarb er sich an der Hochburg des Pietismus und der Wolffschen Philosophie eine zwar unmethodische, aber umfassende Kenntnis der alten und neueren Literaturen, der Philosophie und der Geschichte, wobei er seine Studien mehr auf eigene Hand als dem Kursus der Kollegien gemäß betrieb – die Verachtung der weltfremden und kleinkrämerischen professoralen Gelehrsamkeit im damaligen Deutschland, die er später oft laut werden ließ, mag auf seine beiden Jahre in Halle zurückgehen.

Mit einem mäßigen theologischen Abgangszeugnis versehen, trat er 1740 in Osterburg eine Stelle als Hauslehrer an, die übliche Zuflucht mitteloser Kandidaten. Nach einem Jahr begann er in Jena ein neues Studium, das der Medizin, die dort noch wie im 17. Jahrhundert als eine rein mathematisch-mechanische Disziplin gelehrt wurde. Diesen zweiten akademischen Anlauf gab Winckelmann jedoch schon 1742 auf, und nachdem er auch eine Reise, die nach Paris führen sollte, unterwegs abgebrochen hatte, wurde er wiederum Hauslehrer, diesmal in Hadmersleben bei dem magdeburgischen Oberamtmann Lamprecht. Hier schloß Winckelmann mit seinem Schüler, dem jungen Lamprecht, eine enge Freundschaft, in der sich zum ersten Male und am intensivsten in seinem Leben sein charakteristischer Drang offenbarte, jüngeren Männern väterlich anspornender Erzieher und leidenschaftlich hingebender Freund zugleich zu sein. Er war sich wohl bewußt, daß er mit dieser Neigung in neueren Zeiten nicht seinesgleichen hatte und nur in den »heroischen« Freundespaaren der griechischen Antike ein Vorbild finden konnte.

Als Winckelmann 1743 Konrektor der Lateinschule in Seehausen wurde, nahm er seinen Zögling mit und behielt ihn dort drei Jahre in seiner Obhut. Das märkische Städt-

chen bot ihm wenig Umgang, um so mehr reiste er in die
Umgebung und bis nach Leipzig, um alte Freundschaften zu
pflegen, Bücher zu exzerpieren und zu erwerben. Von ver-
stockten Schülern geplagt und von dem kirchlichen Vorge-
setzten schikaniert, suchte der gedrückte Schulmeister Trost
bei den griechischen Klassikern, mit deren Lektüre er die
Nächte zubrachte.

Winckelmann entrann dieser »Knechtschaft« – so nannte
er später seine Seehausener Zeit – 1748, indem er in die
Dienste des Reichsgrafen von Bünau trat. In dessen Nöth-
nitzer Schloß arbeitete Winckelmann an der Katalogisierung
der Bünauschen Bibliothek, der größten deutschen Privat-
bibliothek ihrer Zeit, und fertigte Exzerpte aus Geschichts-
quellen an, die Bünau bei der Arbeit an seiner *Genauen und
umständlichen Teutschen Kayser- und Reichshistorie* be-
nutzte. Entscheidend wurde hier für Winckelmann die Nähe
Dresdens, das unter August dem Starken und seinem Sohn
zu einem Zentrum spätbarocker Kultur in Deutschland geworden war. Bei Besuchen der Gemäldegalerie mit ihrem
Reichtum an italienischen und niederländischen Kunstwerken des 16. und 17. Jahrhunderts und im Umgang mit Malern, später auch in der Antikensammlung fand Winckelmann den Weg zur Kunst. Im Umkreis der katholischen
Hofgesellschaft lernte er einflußreiche Gönner kennen, die
dem belesenen Humanisten Unterstützung für eine Reise
nach Rom anboten und ihm dort eine Anstellung in Aussicht
stellten. Die Voraussetzung dafür war freilich Winckelmanns
Übertritt zur katholischen Kirche.

Nicht nur diese Bedingung machte ihm zu schaffen, ließ
ihn zögern und schwanken. Die Krise, die ihn um diese Zeit
ergriff und ihn sogar körperlich schwächte, mag außerdem
von der Enttäuschung über Lamprechts Treulosigkeit und
von der Unsicherheit des wiederholt aufgeschobenen Reise-
plans mit bewirkt worden sein, im Grunde entsprang sie
wohl der Erkenntnis, daß er sein bisher gedrücktes und rich-
tungsloses Leben nur mit einem gewagten und gewaltsamen

Entschluß in eine höhere Bahn lenken konnte und daß dieser
Entschluß jetzt von ihm gefordert wurde.

Im Juni 1754 legte Winckelmann, unter dem Beistand des
königlichen Beichtvaters Leo Rauch, das Bekenntnis des
katholischen Glaubens in die Hände des päpstlichen Nuntius
Archinto ab; im Herbst quittierte er den Dienst bei Bünau
und siedelte, in Erwartung der Reise nach Rom, nach Dresden über. Hier zog ihn der geistreiche Maler Adam Friedrich
Oeser in sein Haus und in seinen anregenden Umgang und
leitete ihn im Zeichnen an (ähnlich war später, in Leipzig,
auch Goethe Oesers Schüler). Und hier entstanden im Frühjahr 1755 die *Gedancken über die Nachahmung der Griechischen Wercke in der Mahlerey und Bildhauer-Kunst.*
Die Publikation der schmalen Schrift wurde sorgfältig vorbereitet, mit einer Widmung an den König und drei Kupferstichen Oesers wurde sie in fünfzig Exemplaren gedruckt
und hatte sofort so großen Erfolg, daß sogar Abschriften
davon angefertigt wurden. Noch in Dresden schrieb Winckelmann das *Sendschreiben über die Gedanken von der Nachahmung ...*, in dem er, die Einwände der antiquarischen
und Kunstgelehrsamkeit vorwegnehmend und ironisierend,
sein eigenes Werk unter der Maske eines anonymen Kritikers
angreift, und die *Erläuterung der Gedanken von der Nachahmung ...*, worin die Thesen des Werkes neu aufgegriffen
und mit ausführlichen Belegen gegen das *Sendschreiben* ver-
teidigt werden – beide wurden der zweiten Auflage von
1756 als Anhang beigegeben.

Herder sagt, in diesem ersten Werke liege »die ganze
Knospe von Winckelmanns Seele«. Tatsächlich trägt schon
der erste Teil, die ursprüngliche Schrift, in gedrängter Kürze
alle die Grundsätze vor, die auch Winckelmanns spätere
Werke bestimmten und die zum Credo der klassizistischen
Kunsttheorie wurden. Die Vorbildlichkeit der griechischen
Kunst wird begründet mit einer begeisterten Schilderung des
antiken Griechenland, dessen Menschen sich unter günstigen
klimatischen und geographischen Verhältnissen zur Schön-

heit und Vollkommenheit entwickeln konnten. Die griechische Kunst sei jedoch über die Schönheit, die ihr die Natur zur Nachahmung bot, hinausgegangen und habe ein göttlich erhabenes Ideal entworfen. Das Kennzeichen dieser idealischen Schönheit sei »eine edle Einfalt, und eine stille Größe« (S. 20 u. öfter). Diese vielzitierten Worte, die zu Recht als Kernstück der klassizistischen Kunstlehre gelten, hatten zu ihrer Zeit eine polemische Spitze, die sich gegen den gerade in Sachsen noch herrschenden Barock mit seinen leidenschaftlich bewegten Bildern und Statuen richtete. Unter den neueren Künstlern wird demgegenüber Raffael als treuer Schüler der Griechen hervorgehoben.

All dies wird in der *Erläuterung* weiter vertieft, vor allem gibt die fingierte Auseinandersetzung zwischen den beiden Anhängen dem Leser einen Einblick in die Stellung, die Winckelmann in der kunstkritischen Debatte seiner Zeit bezieht. Gegen die Forderung nach einfacher Naturnachahmung stellt er die nach der Idealisierung zur Schönheit; gegen die Betonung des Kolorits in der Malerei hebt er die Bedeutung der Zeichnung – analog zur Kontur in der Plastik – hervor; gegen die Kritiker, die von einem Bild lediglich die »Belustigung der Augen« (S. 63), den rein optischen Reiz erwarten, weist er auf die »ernsthafte Schönheit« (S. 95), die längerer Betrachtung und Überlegung standhält.

Goethe sagt von den drei Schriften über die Nachahmung, sie seien »sowohl dem Stoff als der Form nach ... barock und wunderlich«, und auch der heutige Leser wird diesem Urteil hin und wieder beistimmen müssen. So lakonisch und klar gerade die eigentlichen *Gedanken über die Nachahmung* geschrieben sind – einige Formulierungen muten fast unbeholfen an –, so hat doch Winckelmann hier noch nicht ganz verleugnen können, daß er selbst auch zur Zunft der Gelehrten gehörte, über deren Pedanterie er sich namentlich im *Sendschreiben* so lustig macht. Nach seinem eigenen Geständnis flocht er »aus einer kleinen Schalkheit« vielerlei kaum noch erschließbare Anspielungen und Hinweise auf

entlegene Werke gelehrter Literatur ein, wodurch die an sich
lächerlich kleinliche Rüge des *Sendschreibens*, er habe zu
wenig »Allegata« gegeben (S. 44), doch eine gewisse Rechtfertigung findet. Und als ob er sich diese Kritik zu Herzen
genommen habe, gab er der *Erläuterung* einen Schwarm von
über zweihundert Literaturhinweisen in Fußnoten bei (sie
sind in der vorliegenden Ausgabe sämtlich weggelassen).
Schon dies kann den Verdacht erregen, Winckelmann habe
die Angriffe des *Sendschreibens* nur erfunden, um einen Anlaß zu haben, in der Verteidigung alle die Materialien nach-
zutragen, die er in der eigentlichen Schrift der nachdrück-
lichen Kürze halber unterdrückt hatte.

Goethe meint, den drei Dresdner Schriften sei nur dann
ein Sinn abzugewinnen, wenn man Winckelmanns dortige
Umwelt, den Kreis der sächsischen Künstler und Kunstken-
ner, überblicke. Dies gilt namentlich für die parodistischen
Partien des *Sendschreibens*, wo bekannte Dresdner in ihren
Eigenheiten persifliert werden. Weniger kenntlich ist der
positive Einfluß, den Oeser auf das Werk ausübte –
Winckelmann stattet seinem Freund am Ende der *Erläuterung* seinen Dank dafür ab. Sicher sind auf Oesers Rechnung
einige Abschnitte zu setzen, die mit dem eigentlichen Thema
wenig zu tun haben, wie die Erörterung der Hubertusburger
Dekorationen, wo indirekt Oesers Sache verfochten wird,
und die lange Darlegung über den angeblichen Wasserkasten
Michelangelos, der offenbar eine reine Erfindung und Lieb-
lingsidee Oesers war (auch einer der Kupferstiche, die Oeser
dem Druck beigab, stellt ihn dar). Wieweit Oeser Winckelmann bei der Betrachtung und Beurteilung von Kunstwerken anleitete oder gar bei der Formulierung seiner Maßstäbe
mitgewirkt hat, läßt sich nur vermuten. Auf Oesers An-
regung ist wahrscheinlich zurückzuführen, daß Winckelmann
der Allegorie ein so großes Gewicht beilegt, wie der Schluß
der *Gedanken* und der größere Teil der *Erläuterung* zeigen.
Für uns will die rationalistische Metaphorik, die hier aus-
gebreitet wird, nicht recht zu den eigentlich zentralen Ge-

danken Winckelmanns passen, für ihn selbst spielte sie auch
später noch eine große Rolle; 1766 schrieb er seinen *Versuch
einer Allegorie*.

Die philosophische Ästhetik des 18. Jahrhunderts bemühte
sich, den Begriff der Schönheit zu fassen und in das System
der Schulphilosophie einzufügen und das ästhetische Ver-
mögen des Menschen zu erklären. An diese Bestrebungen
knüpfte Winckelmann wohl vielfach an, aber schon seine
erste Schrift zeigt, daß deduktives Denken seine Sache nicht
war. So gibt er etwa keine zwingende Auskunft darüber,
wie das Ideal der Schönheit zustande kommt und wodurch
es verbürgt wird, und später bezeichnet er wiederholt die
Schönheit als ein Geheimnis, insofern als kein »allgemeiner
Begriff« von ihr existiert und nur ein unerklärlicher »innerer
Sinn« sie erfassen kann. Er hat ein Bild der Schönheit in
unmittelbarer Gewißheit vor Augen und stellt dies im kon-
kreten stilistischen oder gar technischen Detail dar; das Verfahren der Kunstkritik liegt ihm dabei näher als das der
Philosophie.

Das Stilideal, das so vorgestellt wird, erhält seine volle
Bedeutung erst dadurch, daß es als Ausdruck eines idealen
Menschenbildes verstanden wird, dem auch über die künst-
lerische Darstellung hinaus vorbildliche Geltung zugespro-
chen wird: die »große und gesetzte Seele« (S. 20), die aus
dem Kunstwerk spricht, muß auch im Künstler selbst und im
Menschen überhaupt leben, in ihr erkennt Winckelmann den
»wahren Charakter der Alten« (S. 22). Dieses Ethos, das
Winckelmann mit Ernst und Ergriffenheit vertritt, fand
auch die erhoffte »Nachahmung« (in dem gemeinten Sinn,
der die bloße technische Imitation weit übersteigt), insbesondere in der deutschen Klassik und durch sie in neuere
Zeiten hinein.

Mit der Verehrung der Antike stand Winckelmann in der
alten Tradition des gemeineuropäischen Humanismus. Aber
er gab dieser literarisch orientierten Bewegung eine neue
Wendung mit seinem auf die bildende Kunst gestützten Ent-

wurf des griechischen Menschentums und der charismatischen Kraft, die er diesem beilegte. Bisher war das antike Erbe nur in römisch-lateinischer Prägung allgemein verfügbares Bildungsgut gewesen. Winckelmann lenkte dagegen den Blick über Rom hinaus nach Griechenland, auf das »Urbild« antiken Geistes. Wie die griechische Kunst die römische überragt, so steht Homer höher als Vergil (S. 4). Gerade dieser Impuls wurde in Deutschland begeistert aufgenommen, wo sich bald der Anspruch auf eine besondere Wahlverwandtschaft zwischen deutschem und griechischem Geist erhob. Die Vorstellung vom exemplarischen Charakter der griechischen Antike überdauerte sogar die Geltung von Winckelmanns klassischem Menschenbild, wie sich etwa im Werk Nietzsches oder in der Wiederbelebung des griechischen Mythos in der neueren Dichtung zeigt.

Die *Gedanken über die Nachahmung* stehen jedoch noch vor der Schwelle zu Winckelmanns letztem, wichtigstem Lebensabschnitt – er selbst, der sich einen »Spätklugen« nannte, zählte nur die Jahre, die er in Rom verbrachte, als seine eigentlichen Lebensjahre.

Als er hier am 18. November 1755 ankam, war er entschlossen, selbständig und frei von beruflichen Verpflichtungen zu bleiben und mit der sächsischen Pension, die ihm Pater Rauch vermittelt hatte, hauszuhalten. Der Maler Raffael Mengs, der für ihn in Rom dieselbe Stelle einnahm, die Oeser in Dresden gehabt hatte, machte ihn mit der Stadt und den hiesigen Künstlern bekannt, und bald geriet er in vertrauten Umgang mit den Kardinälen Archinto, Passionei und Albani, die ihn als Gelehrten und Gesellschafter zugleich schätzten. 1757 zog er als Bibliothekar in das Haus Archintos, nach dessen Tod zu Albani, ohne daß er damit die Freiheit verloren hätte, seinen Studien ungehindert nachzugehen.

Für diese fand er in Rom ein weites Feld. Erst hier, in der unmittelbaren Gegenwart der antiken Kunstwerke, gewann sein Idealbild Realität und Leben. Wie stark das Erlebnis

der sinnlichen Anschauung auf ihn wirkte und wie es ihn
reifen ließ, zeigen die wiederholt überarbeiteten Beschreibungen des Torso und des Apollo im Belvedere mit ihrer
Genauigkeit und dem »hohen Stil« ihrer Sprache. Im Lauf
der Jahre entstanden zunächst verschiedene antiquarische
Schriften, darunter einige über die herkulanischen Ausgra-
bungen, die Winckelmann bei mehreren Reisen in Neapel
erkundete, daneben eine Reihe von allgemein-ästhetischen
Aufsätzen. Auf Wunsch des Barons von Stosch beschrieb
Winckelmann dessen umfangreiche Gemmensammlung in
Florenz – eine Arbeit, die ihm viel Zeit raubte. Das Haupt-
werk seiner römischen Zeit und seines Lebens jedoch wurde
die *Geschichte der Kunst des Alterthums*. Winckelmann lie-
ferte hier neben der Geschichte auch den »Versuch eines
Lehrgebäudes« der Kunst. Nicht nur wegen der überragen-
den Sachkenntnis des Autors war dies Werk einzigartig in
seiner Zeit. Statt, wie bisher üblich, chronologische Aufzäh-
lungen von Künstlern zu geben, machte Winckelmann den
Stil ganzer Völker, zumal der Griechen, zu seinem Gegen-
stand, stellte ihn in seiner Abhängigkeit von der Lebensform
der betreffenden Nationen dar und verfolgte ihn durch seinen historischen Wandel vom ersten Wachstum über die
Blüte bis zum Verfall. Diesem weitgespannten Entwurf ließ
Winckelmann später, als Summe seiner antiquarischen Studien, die *Monumenti antichi inediti* in italienischer Sprache
folgen, Beschreibungen antiker Kunstwerke mit Abbildun-
gen, die freilich den Ruhm der Kunstgeschichte nicht er-
reichten.

Winckelmanns Wirken in Rom verschaffte ihm in Deutschland ein unangefochtenes Ansehen. Reisende, darunter Fürsten und Prinzen, suchten ihn auf und ließen sich von ihm
führen und unterweisen. Zumal unter den Jüngeren seiner
Besucher fand er Schüler und Freunde. Der Versuch, ihn als
Bibliothekar an den Hof Friedrichs des Großen zu ziehen,
scheiterte. Er war mittlerweile zum Oberaufseher der Antiken in Rom bestellt worden. Im stolzen Bewußtsein seines

verdienten Ruhms genoß er sein Leben als Hausgenosse römischer Kardinäle. Im April 1768 brach er zu einer lange
geplanten Reise auf, die ihn zu seinen Freunden nach
Deutschland führen sollte. Jedoch schon in den Alpen befiel
ihn ein beklemmender Widerwille gegen die nördliche Landschaft, in Regensburg brach er die Reise ab, und nur mit
Mühe konnte ihn sein Reisebegleiter dahin bringen, noch
nach Wien zu fahren, wo ihn die Kaiserin Maria Theresia
ehrenvoll empfing und mit Medaillen beschenkte. Auf der
Rückreise wurde er in Triest aufgehalten und lernte dort im
Wirtshaus Francesco Arcangeli kennen, einen abenteuernden
Bedienten. Von diesem wurde Winckelmann am 8. Juni 1768
in seinem Zimmer überfallen und erstochen.

Goethe, der als junger Student in Leipzig mit Oeser
Winckelmanns Ankunft erwartete, als die Nachricht von dessen Tod eintraf, schrieb später: »Er hat als Mann gelebt
und ist als ein vollständiger Mann von hinnen gegangen.
Nun genießt er im Andenken der Nachwelt den Vorteil, als
ein ewig Tüchtiger und Kräftiger zu erscheinen; denn in der
Gestalt, wie der Mensch die Erde verläßt, wandelt er unter
den Schatten, und so bleibt uns Achill als ewig strebender
Jüngling gegenwärtig. Daß Winckelmann früh hinwegschied,
kommt auch uns zugute. Von seinem Grabe her stärkt uns
der Anhauch seiner Kraft und erregt in uns den lebhaftesten
Drang, das, was er begonnen, mit Eifer und Liebe fort- und
immer fortzusetzen.«

INHALT

Gotthold Ephraim Lessing

IN RECLAMS UNIVERSAL-BIBLIOTHEK

Philipp Reclam jun. Stuttgart

JOHANN GEORG HAMANN

Sokratische Denkwürdigkeiten
Aesthetica in nuce

Mit einem Kommentar herausgegeben von Sven-Aage Jørgensen

Universal-Bibliothek Nr. 926

Die ganze linke Textseite dieser Ausgabe der zwei für die deutsche
Literatur wichtigsten Schriften Hamanns ist für den Textkommen-
tar reserviert. Dieser verweist auf Bibelstellen und Zitate aus der
zeitgenössischen Literatur, bringt Erläuterungen für Personen,
Begebenheiten und Begriffe, gibt kurze Deutungen schwieriger
Stellen, erklärt heute nicht mehr geläufige deutsche Wörter, und
übersetzt die vielen fremdsprachlichen Zitate.

(The German Quarterly)

Das oft wiederholte Urteil, daß die *Sokratischen Denkwürdigkeiten* und die *Aesthetica in nuce* Hamanns wichtigste Schriften für
die deutsche Literatur seien, ändert nichts an der Tatsache, daß
auch diese Werke Hamanns ohne Kommentar weder verstanden
noch überhaupt gelesen werden können. Bisher mußte der Leser
und Forscher sich mühsam Text und Kommentar aus z. T. schwer
erreichbaren Quellen vergleichend und abwägend zusammensuchen.
[...] Alle diese Arbeiten sind jetzt in einer sorgfältig geprüften
und ausgewerteten Studienausgabe berücksichtigt, die Hamanns
Hauptwerke Forschern, Lehrern und Studierenden in verständ-
licher Form zugänglich macht. [...] Das ausgezeichnete Nachwort
von 30 Seiten verwertet in seinem Leben und Werk verbindenden
biographischen Teil die neusten Ergebnisse der besonders in den
letzten Jahren intensivierten Hamannforschung und zeigt den
Autor als Schüler und Kritiker der späten Aufklärung. [...]
Die vorliegende hervorragende Studienausgabe der Hauptwerke
Hamanns ist zugleich richtungsweisend für eine neue, weniger
»subjektiv-erlebte« als dichtungstechnisch-objektive Hamannforschung.

(Monatshefte)

Philipp Reclam jun. Stuttgart

Johann Gottfried Herder

IN RECLAMS UNIVERSAL-BIBLIOTHEK

Abhandlung über den Ursprung der Sprache. Herausgegeben von Hans Dietrich Irmscher. 8729

Auch eine Philosophie der Geschichte zur Bildung der Menschheit. Herausgegeben von Hans Dietrich Irmscher. 4460

Journal meiner Reise im Jahr 1769. Historisch-kritische Ausgabe. Herausgegeben von Katharina Mommsen, unter Mitarbeit von Momme Mommsen und Georg Wackerl. 9793

Stimmen der Völker in Liedern«. Volkslieder. Zwei Teile. 1778/79. Herausgegeben von Heinz Rölleke. 1371

Herder, Goethe, Frisi, Möser, *Von deutscher Art und Kunst.* Einige fliegende Blätter. Herausgegeben von Hans Dietrich Irmscher. 7497

Philipp Reclam jun. Stuttgart